D1127565

Descubrimiento y fronteras
del neoclasicismo español

Russell P. Sebold

[Descubrimiento y fronteras del neoclasicismo español]

FUNDACIÓN JUAN MARCH   •   CÁTEDRA

CRÍTICA LITERARIA

© Fundación Juan March, 1985
Ediciones Cátedra, S. A., 1985
Don Ramón de la Cruz, 67. 28001 Madrid
Depósito legal: M. 34.023-1985
ISBN: 84-376-0551-2
Printed in Spain
Impreso en Anzos, S. A. Fuenlabrada (Madrid)

A Guillermo Carnero

Índice

Advertencia

Los cuatro capítulos de este pequeño libro tuvieron su origen en las cuatro conferencias que con el mismo título global pronuncié en Madrid, en la Fundación Juan March, en noviembre de 1984. Al adaptar mis conferencias para la lectura individual, he suprimido desde luego todas esas expresiones que aludían a su presentación pública original. Mas, fuera de esto, he preferido dejar su estilo tal como estaba, pues creo que la forma más sencilla y directa es la mejor para la comunicación de las ideas en todas las circunstancias; y pensando en la importancia primordial de las ideas tanto para el género ensayístico como para el conferencístico, también he preferido conservar otro aspecto del texto que había preparado para la lectura oral: me refiero al procedimiento para la documentación de mi visión historiográfica del neoclasicismo.

Dice T. S. Eliot que el sentido del dato es lo más esencial para la crítica; y en efecto, sin datos nuevos no hay ideas nuevas; pero, al mismo tiempo, cuando se trata de un problema literario que sólo puede enfocarse en un amplio panorama histórico, no hay nada que entorpezca tanto la expresión de las ideas y el desenvolvimiento de las teorías como una excesiva atención a la corroboración bibliográfica de la información utilizada. En todo caso, las fuentes de los materiales que cito, ya se hallaban bastante bien identificadas en el mismo texto de estos cuatro trabajos, para que cualquier lector interesado en buscar el contexto de las citas lo pueda hacer sin dificultad, y así no ha habido ninguna necesidad de introducir notas ni otros aparatos bibliográficos a la hora de la publicación. Por lo demás, el lector verá muy pronto que en estas páginas no se expone ninguna tesis nueva sin que se acompañe por información nueva; y tanto es esto así, que de haberse documentado cada dato en la forma en que suele hacerse en los libros de pura investigación histórica, los presentes ensayos habrían alcanzado tal extensión, que no habrían cabido dentro de los límites de los volúmenes individuales de esta colección.

Deseo dejar aquí constancia de mi profundo agradecimiento a la Fundación Juan March, y en especial a don José Luis Yuste, Director Gerente de la misma; a don Antonio Gallego, Director de Actividades Culturales; a doña Lilaya Argüello y a don José Tejero. Su generosidad, su amable ayuda y su hospitalidad desde el momento en que pronuncié estas conferencias hasta la hora de su impresión representan para mí una de las más placenteras experiencias que he tenido a lo largo de mi carrera.

RUSSELL P. SEBOLD

31 de mayo de 1985

CAPÍTULO I

El setecientos español:
prejuicios y realidades

Dice Feijoo: «Si algún autor español [...] se avanza más allá de los límites en que hasta ahora se contuvieron nuestros profesores [...], descubre a sus compatriotas nuevos países intelectuales» (en «Sobre el adelantamiento de las ciencias y artes en España», *Cartas eruditas y curiosas,* t. III, 1750). Es en este sentido figurado en el que utilizo la voz *descubrimiento* en el título global que he dado a estos cuatro ensayos, *Descubrimiento y fronteras del neoclasicismo español,* porque veremos que el ámbito donde se verifica el fenómeno neoclásico es muchísimo más extenso de lo que hemos creído habitualmente. Un examen completo de los documentos pertinentes obligaría a extender las fronteras del neoclasicismo tanto hacia el futuro como hacia el pasado, mas en estas lecciones estudiaremos principalmente las fronteras temporales del neoclasicismo que son anteriores al siglo XVIII. (No por esto dejaremos de utilizar también muchos documentos que son posteriores al XVIII.) No se trata de dilatar las lindes del neoclasicismo meramente por dilatarlas; es que nunca se acabará de entender la gé-

13

nesis de esta tendencia literaria a menos que se enfoque en su total extensión cronológica.

El rumbo de nuestro viaje de exploración y descubrimiento será el siguiente: En el presente capítulo examinaremos de cerca el inevitable marco de referencia para todo estudio sobre el neoclasicismo, el siglo XVIII, con la finalidad de determinar su aptitud como medio para el cultivo de la poesía. En la segunda lección reflexionaremos sobre la naturaleza del neoclasicismo en sí, y en los capítulos restantes nos ocuparemos de los más remotos límites cronológicos y las primeras fases evolutivas del fenómeno neoclásico. En todas estas páginas, la poesía lírica es el género que nos interesará principalmente. Ahora bien: para expresarme otra vez en lenguaje feijoniano, en este primer capítulo procuraré «desterrar tres preocupaciones comunes» que aún padecen el hispanista medio y la enorme mayoría de los estudiantes. Dichas «preocupaciones comunes» son: 1) la equivocada noción de que el siglo XVIII sea por su esencia antipoético; 2) la falsa impresión de que en el setecientos España sea una copia servil de Francia, y 3) el error de creer que el siglo XVIII sea un periodo de decadencia en la cultura española. Empecemos recordando ciertas características fundamentales del ambiente intelectual de toda Europa en el setecientos.

El siglo XVIII es conocido como el de la Ilustración, pues en esa época se quiere ilustrar, no sólo a las clases privilegiadas, sino a las masas ignorantes, sobre los nuevos conocimientos científicos y filosóficos, con la intención de mejorar la suerte del hombre común haciéndole gozar de los beneficios materiales y espirituales de la nueva ciencia. El entusiasmo dieciochesco ante los nuevísimos descubrimientos de la Ilustración se revela por ciertas palabras de uno de los ministros de Carlos III, el conde de Cabarrús: «La verdad es, digámoslo así, de ayer, y el error tiene veinte siglos de posesión.» Los nuevos programas sociales instituidos por los ilustrados en diversos países europeos se pueden describir sucintamente con el lema atribuido a Carlos III: «Todo para el pueblo, pero sin el pueblo» (es decir, sin la intervención política del pueblo). Se trataba del despotismo ilustrado.

En el Siglo de las Luces se facilita el trabajo del hombre, pues se inventan la desmotadora de algodón, la máquina de hilar, el telar de vapor, etc. Se empieza a librar al hombre de su miedo a la enfermedad, pues se descubre la vacunación contra la viruela. Se procura librar al hombre de la opresión política, pues se propagan varias patentes declarando sus derechos. Se procura también librar al hombre de la opresión religiosa, pues en un pequeño libro inglés de 1713 se codifica por primera vez el «freethinking» o librepensamiento, y en otros muchos libros del setecientos se proponen diversos sistemas de religión natural o deísmo.

No causa sorpresa que en tal ambiente los escritores se hayan interesado tanto por las ciencias y la filosofía como por las bellas letras. La misma definición del adjetivo *literario,* según se explica en 1734, en el tomo IV del *Diccionario de Autoridades,* refleja estos dos nortes de la república literaria setecentista: Se define así *literario:* «Lo que pertenece a las letras, ciencias, o estudios.» A Montesquieu, por ejemplo, se le recuerda tanto por su *Espíritu de las leyes,* un tratado de sociología y política, como por su novela epistolar *Cartas persas.* A Voltaire se le recuerda tanto por sus *Cartas filosóficas* y su *Diccionario filosófico,* como por sus novelas, tragedias y poesías. A Diderot se le recuerda tanto por su *Enciclopedia o diccionario razonado de las artes, las ciencias y los oficios,* recopilación de los nuevos conocimientos científicos, como por sus novelas y comedias lacrimosas. Incluso el escritor que después será mirado como padre del romanticismo por su novela *La nueva Eloísa,* por sus *Confesiones* y por sus *Reflexiones,* Rousseau, empieza su carrera «literaria» publicando un *Discurso sobre las ciencias y las artes.*

En el siglo XVIII se cree con fervor en la posibilidad del progreso infinito a través de la ciencia. Por ejemplo, Joseph Priestley escribe en las últimas décadas de la centuria:

> La Naturaleza, tanto sus materiales como sus leyes, estarán cada vez más bajo nuestro mando [...]. Las tres cuartas partes del globo habitable están todavía sin cultivar. Las partes cultivadas son capaces de una mejora inmensurable. Miríadas de centurias de población siempre creciente podrán pasar a la historia, y la tierra será aún suficiente para sostener a sus habitantes.

La Verdad conocible por la investigación científica reemplaza a la Virgen María como objeto de la adoración en este periodo de fervorosa fe en el progreso. En el grabado que forma el frontispicio de la *Enciclopedia* se representa la Verdad, la cabeza circundada por la brillante aureola de sus revelaciones; se la ve servida por su sierva la Razón y todas las disciplinas científicas, sus microscopios y otros instrumentos en las manos. La composición o agrupación de las figuras es jerárquica, y es notable la semejanza entre este grabado y los cuadros de la Asunción de la Virgen, por ejemplo, los del Greco y Valdés Leal. A la nueva Verdad científico-filosófica se la miraba como diosa porque brindaba al hombre el alivio de sus seculares aflicciones, una vida más larga y un nuevo bienestar físico y moral en su vida particular y en sus relaciones con sus prójimos.

Ahora bien: para entrar, sin más preámbulos, en plena materia, se acostumbra decirnos que durante el setecientos, con la ya indicada insistencia en el racionalismo, en el pensamiento filosófico y en el método científico, el hombre se priva de buena parte de su capacidad de soñar o gozar de cosa tan inexacta como el misterio poético, quiero decir, aquello que Bécquer llamaría un día «espíritu, / desconocida esencia, / perfume misterioso / de que es vaso el poeta» (rima V). Mas los historiadores de la literatura que tal afirman, olvidan el importantísimo hecho de que en el famoso grabado de la Verdad, en la *Enciclopedia,* la diosa se ve servida también por otra sierva y otro grupo igualmente numeroso de adoradoras: son la Imaginación, las musas y las otras artes. Tampoco hay que olvidar que la fe fervorosa del creyente —sea cual sea su objeto, la Virgen María o la Verdad— es una forma de entusiasmo muy afín al llamado «furor poético» o inspiración de los poetas. Además, la misma ciencia encerraba entonces su «misterio poético», según veremos ahora mismo.

Nacía el moderno espíritu científico, y el hombre europeo estaba seguro de encontrarse ya en el camino real del progreso. Pero sólo había pasado el primer mojón e ignoraba lo largo y tortuoso que era ese camino, por lo cual podía ingenuamente contar con recorrerlo todo y llegar a su final, llegada que él se imaginaba semejante a la de Amadís de Gaula a ciertas ciudades encantadas descritas en el famoso libro de caballerías. Quiere decirse que los europeos del setecientos sentían ante las promesas científicas de un porvenir más despejado y cómodo la misma calurosa expectación que siente el hombre de ciencia un momento antes del descubrimiento, o que siente el poeta cuando empieza a imaginar la forma de un verso nuevo. En fin, quiere decirse que en ese momento las ciencias y las musas estaban aliadas todavía en la búsqueda del mismo misterioso «no sé qué».

Pero para comprender exactamente qué papel jugaba el pensamiento científico en la vida del lector general o mero aficionado a las ideas durante el siglo XVIII, hay que recordar, al mismo tiempo, que en toda la historia de Occidente, en cuanto a formas de vida, no había habido ningún otro siglo tan elegante como el XVIII. En el setecientos las casas de Europa se llenan de biombos de bambú, mesas de teca, floreros de esmalte, tapices de seda y otros adornos chinescos. No hay en ninguna otra época muebles más elegantes que los de estilo Chippendale, Luis XV o Carlos III. Un típico caballero español del XVIII, según Cadalso:

> toma café de Malta exquisito en taza traída de la China por Londres, pónese una camisa fina de Holanda, luego una bata de mucho gusto tejida en León de Francia; lee un libro encuadernado en París; viste a la dirección de un sastre y peluquero francés; sale con un coche que se ha pintado donde el libro se encuadernó; va a comer en vajilla labrada en París o Londres las viandas calientes y en platos de Sajonia o China las frutas y dulces, etc. *(Cartas marruecos, XLI).*

Ahora bien: en un siglo tan dedicado al cultivo de la elegancia, el más envidiado ornamento, el adorno más elegante de todos, que un caballero o dama podía ostentar en las reuniones de la buena sociedad era el saber hablar de la ciencia y la filosofía modernas. Veamos las palabras de Duclos, en sus *Considérations sur les moeurs de ce siècle* (1750):

> El gusto de las ciencias ha ganado insensiblemente, y se ha llegado al punto en que los que no lo tienen, lo afectan. Así se ha buscado de intento a quienes cultivan las ciencias, y en el gran mundo son invitados a proporción del placer que se descubre en su comercio.

Fontenelle llevaba de paseo a la luz de la luna por sus jardines a las señoritas más elegantes de París, no para hablarles del amor, sino para explicarles los movimientos de los cuerpos celestes. Fue un enorme éxito de librería en toda Europa el libro de Francesco Algarroti, *Il newtonianismo per le dame*. Hemos dicho que las musas y las ciencias estaban aliadas en la búsqueda del mismo misterioso «no sé qué». Pues las damas lo mismo que los caballeros seguían esta doble pista, porque por los mismos años se publicó en París un libro titulado *L'Art poétique à l'usage des dames*. Luzán escribe desde París entusiasmadísimo con las «lecciones de física experimental que se han instituido para una compañía de damas de diferentes clases sociales». Luzán describe con igual fascinación los para nosotros sorprendentes estudios de un actor: se trata del famoso François Riccoboni, de la Compañía Italiana de París, que es «muy estudioso y aplicado a la física, a la mecánica, a la química y otras ciencias». Zélide de Zuylen, la novia holandesa del célebre biógrafo dieciochesco inglés James Boswell, escribe cuentos románticos en francés. En uno titulado *El noble* relata la historia de la heredera del título de una familia muy noble pero empobrecida. Los padres de Julia la han comprometido a casarse con un hombre viejo, asquerosamente feo y plebeyo, pero fabulosamente rico. Naturalmente, Julia está enamorada de un joven noble, guapo y tan pobre como ella, y quiere escaparse del castillo familiar para unirse a él antes de sus fatales bodas. ¿Qué hace? Pues se construye un puente a través del foso del castillo utilizando como materiales de construcción los retratos al óleo de sus antepasados. «Julia —comenta la autora— jamás había soñado que fuera posible hallar tanto apoyo en sus abuelos.» Pero, cosa sorprendente para nosotros, aunque no para el siglo XVIII, la autora de tan romántica historia se levantaba todas las mañanas a las seis en punto para estudiar las secciones cónicas y otras cuestiones geométricas que la fascinaban tanto como sus poéticos partos de ingenio. Se trataba de dos formas de poesía.

Las damas rechazaban a esos galanes que no sabían explicar los fenómenos que se producían con la máquina neumática y la máquina eléctrica, así como a esos que eran incapaces de demostrar la proposición geométrica de la semana. Mademoiselle de Coigny, una de las mejor vestidas damas del gran mundo parisiense, llevaba siempre en su carroza un cadáver y unos escalpelos para aprovechar en instructivas disecciones anatómicas el tiempo que de otro modo sólo habría perdido en el ir y venir. Los nobles y los ricos de toda Europa instalan en sus palacios y casas particulares gabinetes de historia natural. Jacques Delille dedica un poema al maravilloso invento nuevo que era entonces el brazo artificial.

Por fin, el inglés Hugh Blair, en su célebre tratado sobre las bellas letras, llega a usar las matemáticas como ejemplo al definir su concepto de la belleza:

> La palabra *belleza* —dice— se aplica a varias disposiciones de la mente, mejor dicho, a varios objetos de la ciencia abstracta. Hablamos con frecuencia de un bello árbol o flor, de un bello poema, de un bello carácter, y de un bello teorema matemático.

«De un bello poema» —dice Blair— pero «de un bello teorema matemático» también. Es que la ciencia es poesía en el XVIII. Mas a la vez la poesía es ciencia. Veamos, a este último efecto, otro pasaje, en el que el doctor Samuel Johnson habla de los sermones del ya citado Blair:

> Me gustan los sermones de Blair: su doctrina es la mejor definida, la mejor expresada, y hay en ella el mayor ardor sin fanatismo y el mayor rapto racional.

Rapto racional: ¡qué combinación más curiosa de substantivo y adjetivo! *Rapto* sugiere entusiasmo, sueños, poesía; *racional* sugiere pensamiento, filosofía, ciencia. La ciencia es poesía; y la poesía es ciencia.

Ya podemos extraer de estas consideraciones nuestra primera moraleja: *La ciencia no hace imposible la poesía,* con tal que se acentúe, no lo tecnológico, sino la admiración, el entusiasmo, la fascinación que se siente ante las promesas de la ciencia. La poesía de la ciencia es la viva y emocionante expectación que sentimos ante un misterio en el momento en que se nos va a descifrar. Los astronautas y los hombres de ciencia de nuestros días hablan del papel de la estética en sus exploraciones y experimentos. Mas también los poetas honrados hablan del papel de la precisión científica en su oficio. Auténtico heredero del siglo XVIII, Juan Ramón Jiménez observa:

> Es corriente creer que el arte no debe ser perfecto. Se exige perfección a un matemático, a un fisiólogo, a un científico en jeneral. A un poeta, no sólo no se le suele exijir sino que más bien se le echa en cara que la tenga, como signo de decadencia [...]. Pero el arte es ciencia también. (Notas a *Segunda antolojía poética.*)

La ciencia, lejos de ser una influencia antipoética, puede, como catalizador, hacer adelantar la poesía.

Todo este fenómeno de la Ilustración, tanto su parte de adorno como su parte práctica, entra también en España, y bastante antes de lo que suele creerse. Si, como se dice, la literatura es el espejo de la vida, el grado de novedad que se ha conseguido en las ideas y reformas sociales en España durante el siglo XVIII podrá servirnos de medida del grado de novedad que era posible en la literatura española en esa centuria. Veamos, por tanto, unos ejemplos de la Ilustración en la vida dieciochesca española.

Feijoo vulgariza las ideas científicas de Bacon en España en 1726; Voltaire no las vulgariza en Francia hasta 1734. (Incluso Torres Villarroel conoce la «filosofía inductiva» de Bacon hacia 1726.) En España, Isla conoce el sistema sensualista de Locke en 1727; Luzán cita a Locke en su *Poética* de 1737; e incluso la Inquisición había examinado la obra de Locke en 1736. Pero en 1751, en sus *Memorias literarias de París,* Luzán informa que todavía allí «de Locke no se hace mucho caso». En 1726, Feijoo explica que ha dejado el uso del latín en obras científicas, porque «para escribir en el idioma nativo no se ha menester más razón que no tener alguna por hacer lo contrario» *(Teatro crítico,* tomo I). En 1752, un cuarto de siglo más tarde, espíritu mucho menos moderno que Feijoo en este aspecto, D'Alembert, en el *Discurso preliminar* de la *Encyclopédie,* propone lo siguiente:

> El uso de la lengua latina no podría ser sino muy útil en las obras filosóficas, en las que la claridad y la precisión deben ser los principales méritos y para las que no hace falta sino una lengua universal y convencional. Sería así de desear que se restableciera este uso.

Madrid y Barcelona tienen periódicos diarios veinte años antes que París: Madrid y Barcelona inauguran sus primeros diarios respectivamente en 1758 y 1763. París tendrá que esperar hasta 1779. (Incluso mi ciudad del Nuevo Mundo, Filadelfia, tiene un diario antes que París, el cual se lanza en 1771.) Ilustración siempre significa ilustración del pueblo para su comodidad y beneficio, y la fecha de primera aparición de la prensa diaria en un país determinado es un importante indicio de la eficacia de la Ilustración de ese país. España tiene su Banco Nacional (el Banco Nacional de San Carlos) dieciocho años antes de fundarse el Banco Nacional de Francia. El de España se establece en 1782, el de Francia en 1800. España realiza su primer censo completo en 1787, quince años antes que Francia contara a todos sus habitantes, en 1802. Madrid tiene aceras al final del siglo XVIII; París no las tendría hasta el XIX. La nueva erudición histórica y filológica posibilitada por la Ilustración lleva en España a la publicación del cantar de gesta nacional, el *Poema del Cid,* en 1779; iban a transcurrir cincuenta y ocho años más antes de que se publicase por primera vez la epopeya nacional de Francia, la *Chanson de Roland,* en 1837.

Los reyes Fernando VI y sobre todo Carlos III tomaron muchas medidas ilustradas y modernas en el contexto del reformismo dieciochesco, como son el prohibir que se publique cualquier ataque a los escritos de Feijoo, el mandar que se expliquen en las universidades españolas los sistemas astronómicos modernos, el traer agricultores y artesanos alemanes para instruir a sus compañeros de oficio en España, el introducir nuevas leyes para dignificar el trabajo manual, el proponer un impuesto único progresivo sobre los sueldos y otras rentas, etc. «Todo para el pueblo, pero sin el pueblo.» Carlos III, déspota ilustrado, rey reformador, se anticipa en más de veinte años a la política ilustrada de Napoleón, quien fue el primer déspota ilustrado que tuvo Francia.

Ya se nos ha hecho evidente que desde ciertos puntos de vista, España no es durante el siglo XVIII «una Francia de segundo orden», como se ha dicho en más de un manual de historia. (Por ejemplo, en 1845, Alcalá Galiano escribía sobre la España setecentista: «España se convirtió entonces en una Francia en miniatura.») Citando sólo los datos que hemos enumerado aquí, se podría mantener que la Francia del siglo XVIII fue «una España de segundo orden». Mas esto sería tan falso como lo otro. En fin, en la historia, tanto social como literaria, las fórmulas graciosas y fáciles de los manuales suelen acusar algún prejuicio y llevar a grandes inexactitudes. Si pudiéramos escribir en

23

una columna todos los méritos de Francia durante el siglo XVIII y en otra columna paralela todos los méritos de España durante el mismo siglo, quizá fuera más larga la primera. Pero esto no explica la existencia del concepto de que España sea durante esa centuria una copia servil desprovista de toda originalidad, en contraste con una Francia novedosa en todas sus ideas y creaciones. Entonces, ¿cómo se explica la existencia de tal noción?

José de Viera y Clavijo, poeta e historiador de la segunda mitad del siglo XVIII, nos ofrece una explicación muy plausible al referirse a «la vanidad de los franceses en este siglo de brillante literatura y el espíritu comercial con que la explotan». Dice Viera que, en cambio, se ignoran las cosas de España porque «acaso tengamos nosotros la culpa por no ser bastante charlatanes ni alabadores de nuestras cosas». En efecto: lejos de ser los españoles demasiado o aun bastante ensalzadores de lo suyo, hacen todo lo contrario, y empieza en el siglo XVIII esa lamentable tradición de la España moderna según la cual el mayor sello de ilustración y modernidad que puede ostentar un español, es afirmar axiomáticamente que todo lo español es lo más atrasado que existe. Un personaje de la sátira cadalsiana *El buen militar a la violeta* (1791), intenta reducir a sus adversarios arguyendo así en una viva discusión:

> Señores, no hay para cansarnos, pues es forzoso que confesemos que nuestra España va siempre un siglo atrasada con respecto a las naciones cultas de Europa en todas las ciencias y artes.

Aún hoy no se han logrado eliminar todos los efectos de tal actitud, y para complicar las cosas aún más, los franceses han seguido fieles también a la misma táctica; pues en los años inmediatos a la Segunda Guerra Mundial, Francia invertía casi la quinta parte de su presupuesto anual en la difusión universal de la cultura francesa. Pero, sea como sea, podemos ya extraer de estas reflexiones nuestra segunda moraleja: *España no es mera copia de Francia durante el siglo XVIII.* Esto se ve por las fechas en que se realizan en España ciertos fenómenos de la Ilustración.

Ahora bien: nos interesa aún más el hecho de que también penetra en España eso que hemos llamado «la poesía de la ciencia». Porque si bien el progreso científico, social y político puede servirnos como vara de medir para calcular la potencialidad que le es concedida al español dieciochesco para la creación de nuevas formas literarias, el entusiasmo de los literatos y lectores ante las ciencias naturales es una precondición todavía más importante para el nacimiento de una poética renovada, un nuevo dinamismo descriptivo en todos los géneros poéticos, una simpatía sentimental entre poeta y naturaleza, y por fin el romanticismo. Pero, antes de producirse todo esto, en España, como en los demás países de Europa, el tener algunas nociones de las ciencias nuevas era el más buscado adorno de los que frecuentaban la compañía de los elegantes. Veamos algunos ejemplos:

1) El P. Isla escribe bromeando al entonces importante hombre de ciencia conde de Peñaflorida:

> Yo voy a encargar en Londres un barómetro, un telescopio, un microscopio, una máquina neumática, otra eléctrica, y por añadidura una óptica, sin omitir un par de prismas y dos convexos ustorios de bueno y recogido *fuoco* [...], y después pretenderé una plaza en su academia.

2) En 1772, Cadalso publica *Los eruditos a la violeta,* que es un método para aprender en siete días a hablar en general de todas las ciencias y artes, y en particular de la poética y retórica, filosofía antigua y

moderna, derecho natural, teología, matemáticas y disciplinas menores. (Naturalmente, se trata de una parodia del uso de la nueva erudición como mero ornamento. Mas el mismo hecho de que existiera una motivación para la composición de semejante sátira atestigua la frecuencia entonces en España del uso de la ciencia nueva como adorno personal.)

3) El fabulista Iriarte escoge así a sus amigos:

> Los hábiles y estudiosos
> siempre por tales admito.
> El matemático sabio,
> el lógico reflexivo,
> el útil naturalista,
> el botánico instruido,
> el orador elocuente,
> el humanista erudito,
> el que estatuas eterniza,
> el que levanta edificios,
> todos merecen mi aprecio.

4) En la deliciosa comedia *El don de gentes,* del mismo Iriarte, hay este trozo de diálogo:

BARÓN DE SOTOBELLO

> Pero luego me distraje
> en otros estudios serios:
> La botánica, la historia natural... Hablando de esto,
> vea usted qué mariposas
> he adquirido ayer. ¡Perfectos
> matices!

D.ª ELENA

> ¿Toda esta luna
> se lleva usted recogiendo
> bichos?

BARÓN DE SOTOBELLO

> Yo de todo formo
> colección: flujo que tengo.
> Gabinete, biblioteca
> monetario, camafeos

máquinas, cuadros, estatuas,
todo lo compro... Frecuenté el observatorio
astronómico; y queriendo
ver el planeta Saturno,
tomé bastante sereno.
Al fin perdí la paciencia;
y dejé quieto en el cielo
a Saturno,
que tardaba
en llegar siglos eternos.

5) La famosa doña María Isidra Quintina de Guzmán y la Cerda, «por su grande erudición en todas las artes y ciencias», ingresa como socia en las Reales Academias de la Lengua y de la Historia, en 1784, a los dieciséis años de edad; y el mismo año se doctora por la Universidad de Alcalá de Henares, habiéndose presentado para los exámenes por Real Orden de Carlos III.

6) Por estos años, en su Epístola VII, al Príncipe de la Paz, el poeta Meléndez Valdés se entusiasma por «las misteriosas ciencias», y dentro de pocos años Quintana compondrá su célebre oda *A la expedición española para propagar la vacuna en América*.

7) En 1812, durante el sitio de Cádiz la condesa-duquesa de Benavente, que está refugiada allí, tiene sin embargo suficiente interés y ocio para encargar a Londres un nuevo microscopio.

Cierta poesía, o visión poética del maravilloso universo, incluso invade las descripciones en prosa de la Ilustración que se componen durante el XVIII. Son grandes visiones panorámicas de los nuevos descubrimientos, y sin la existencia previa de tales pasajes no se entendería la creación de los poemas ilustrados y científicos de un Quintana. En 1751, Luzán escribe:

No tiene Naturaleza arcano que no se revele, ni secreto que se esconda a la curiosa investigación de los físicos. Los más pequeños insectos, los casi imperceptibles pólipos, las

27

aves, los peces, los metales, las plantas, los cadáveres, los elementos, los planetas, las estrellas, todo se escudriña, todo se averigua, y todo se rinde a la constante porfía de los astrónomos, de los naturalistas, de los matemáticos, de los químicos, de los botánicos y los anatómicos.

De estilo aún más rítmico y de aún más noble visión poética ilustrada panorámica, ya «quintaniana», es el siguiente trozo de Antonio de Capmany, de 1773:

> Se ha derramado el espíritu filosófico, que todo lo ilumina; el espíritu geométrico, que todo lo calcula y ordena: el espíritu experimental, que todo lo examina y juzga; el buen gusto, que todo lo hermosea y escoge, y la sociabilidad, que comunica todas las luces. En fin, hoy el hombre y la Naturaleza han descubierto su pecho y sus secretos al filósofo [...]. ¡Qué revolución tan asombrosa ha habido en las ideas en el espacio de medio siglo! Hasta ahora parece que los hombres no habían pensado en emplear sus talentos para su propia felicidad. Los soberanos, días ha que no se desafían, días ha que son hermanos [...], y yo espero que presto todos los hombres nos daremos las manos.

De todos estos ejemplos se desprende clarísimamente que en España, como en las demás naciones europeas, existe en el setecientos una actitud ante la ciencia que, lejos de imposibilitar la poesía, puede favorecerla, y de hecho la favorece.

Con la palabra *reformismo* (que usé anteriormente), se ha insinuado que el siglo XVIII es una época de reforma, y tal es el nombre que se le da en todos los manuales. Mas —contradicción típica de los manuales— también se pretende en muchos de ellos que el siglo XVIII es una época de ignominiosa decadencia durante la cual el espíritu de la cultura nacional se ve a pique de perecer. Ahora bien: si el siglo XVIII es una época de reforma, esto quiere decir que la época que le antecede es una época de decadencia. Después de todo no se reforma lo próspero. En cambio, si el siglo XVIII es una época de decadencia, esto quiere decir que la época que le precede es una época de mayor gloria. Se trata de dos posibilidades mutuamente exclusivas, y la lógica más elemental nos dice que las dos no pueden ser ciertas. A riesgo de escandalizar —puesto que llamamos Siglo de Oro a la época que antecede al siglo XVIII— afirmo que la centuria decimoctava es un periodo auténticamente reformador porque la época que le precedió fue un tiempo abyectamente decadente.

No hablo de los sesenta y cinco primeros años del siglo XVII, sino de los treinta y cinco últimos y del primer cuarto por lo menos del mismo siglo XVIII, sesenta años de la historia de España que los historiadores quisieran olvidar, y sus intentos de olvidarlos han llevado a infinitas falsificaciones sobre las épocas posteriores, es decir, sobre los setenta y cinco últimos años del siglo XVIII y aun los primeros decenios del XIX. Recientemente, varios especialistas distinguidos han estudiado a los «novatores», o sea, los poquísimos españoles de las décadas finales del seiscientos que estaban a la altura de los adelantos intelectuales europeos durante el último tercio del siglo XVII, y los «novatores» son una estimable excepción al patrón general del reinado de Carlos II, pero es justamente el patrón general lo que nos interesa de momento; porque el examen de este patrón nos llevará ya hacia la formulación de nuestra tercera y última moraleja.

Echemos, por tanto, una rápida ojeada a la tenebrosa España de Carlos II, el Hechizado. No por lo rápida dejará de ser deprimente, pues ninguna otra de las grandes naciones modernas ha conocido una época de tan espeluznante decadencia como la que atravesó España en los últimos años del siglo XVII y los primeros del siglo XVIII. Toda la nación se convierte en un enorme osario lleno de grandeza putrefacta. Un escritor anónimo del reinado del Hechizado habla con angustia del «cuerpo místico y ya cadáver de la desventurada monarquía».

Esta época —últimos decenios del siglo XVII— era en los demás países europeos la primera del turismo en el sentido moderno. Se publicaban en Francia e Inglaterra guías turísticas sobre las tierras americanas y el Lejano Oriente, y se hacía ya relativamente común el viajar a aquellas remotas regiones. Mas España que había descubierto o explorado esos centros turísticos en el quinientos; España, en cuyo idioma se habían descrito por primera vez esos países, en las páginas de escritores como Bernardino de Sahagún y el Inca Garcilaso de la Vega, no tenía ya suficientes hombres para tripular los navíos que traían el oro del Nuevo Mundo. Se refleja este triste decaer incluso por el número de almas que había en «la desventurada monarquía» al final del reinado del Hechizado. Los demógrafos calculan que en 1600 España tenía aproximadamente catorce millones de habitantes, mas en cien años esta cifra bajó en seis millones y parece que en 1700 la nación española no tenía sino ocho millones de moradores.

Escuchemos las palabras de otro escritor del reinado de Carlos II, un tal Feliz Luzio:

> De dos años a esta parte no parece sino que la maldición de Dios ha caído sobre las dos Castillas, con excomunión de matacandelas, dicen que por haberse cometido un mal pecado de que no se ha tomado enmienda; el cielo se nos muestra huraño; los tiempos sin tiempo, los elementos enemigos; la tierra, sobre todos, cruelmente madrastra. Nuestros mantenimientos se han subido a las nubes, porque las nubes no quieren bajar a nuestros mantenimientos; los astros influyen contrarios, el aire respira huracanes; el mar, enojado de que ya no le surcan ni nuestras galeras, ni navíos, ni nuestras flotas; los campos agostados sin que veamos en ellos un agosto; los pueblos desolados

y desollados, las campañas desiertas, la guerra olvidada, la paz ignominiosa; nuestros pocos soldados (de quienes se va dando cabo), desnudos y a la sopa de los conventos; nuestros tesoros más escondidos que lo estuvieron antes del descubrimiento del Nuevo Mundo; los fraudes e imposiciones crecidos por la mano misma que más los había acusado; los remedios convertidos en dolencias, los médicos nos despulsan y nos desangran, los enemigos nos jeringan, nuestra honra por tierra y toda nuestra tierra sin honra; admirado vengo de lo que he visto por mis ojos; habiendo atravesado a toda España de banda a banda, he reparado con grave dolor que todos aquellos sus ríos grandes corren menguados y menguadísimos [...]; el ganado anda todo alborotado [...]; los lobos nos llevan los rebaños enteros, cayéndose muertas de hambre las tristes ovejas a cada paso, que apenas tienen aliento para dar un balido (en *Fantasía política*).

No se trataba de una decadencia puramente demográfica y material, sino que lo peor era el oscurantismo aislacionista: decadencia mental y espiritual, producida por la Contrarreforma y su concepto cada vez más exagerado de la ortodoxia católica. El país prácticamente era gobernado desde los claustros. Ya Felipe IV llevaba a la gobernación los consejos de una monja, la célebre Sor María de Ágreda. Su viuda, doña Mariana de Austria, vestía hábito de monja y gobernaba con la colaboración de un jesuita austriaco. Carlos II, para honrar a su futura consorte, la princesa Marie Louise, que acababa de llegar de la brillante corte de Versalles, hizo quemar vivos en la Plaza Mayor a treinta herejes. ¡Qué susto debió de darle a la princesa! No es sorprendente que la pobre jamás diera un hijo a tal monarca. A Carlos II se le creía hechizado porque tampoco tuvo hijos con su segunda mujer, y desde todas las provincias de España fueron convocados a la Corte los más afamados exorcistas para que librasen al rey del influjo del demonio. Una dama de la corte de Carlos II hizo dar muerte a un papagayo que se le había regalado, porque la triste ave sólo hablaba francés, lengua frívola, vehículo de ideas peligrosas, por el que esa señora podía contaminarse con «los maléficos vientos del norte».

La misma voz *novedad* iba cobrando un sentido negativo con alusión a peligrosas innovaciones. Se temía que cualquier innovación en las ideas, en las costumbres, en las técnicas artísticas, en el estilo literario, en cualquier orden, pudiese traer consigo una peligrosa novedad para la Iglesia. Ya en 1617, en París, el doctor Carlos García escribe:

> el entendimiento del español es muy medroso y cobarde en lo que toca a la fe y determinación de la Iglesia; porque en el punto en que se le propone un artículo de fe, allí para y mete raya a toda su ciencia, sabiduría y discurso.

Desde la época de Felipe II la Iglesia y el Estado habían limitado severamente las oportunidades de contacto entre eruditos españoles y eruditos extranjeros. Hacia mediados del siglo XVII, un tal Lucas Fernández de Ayala, reflejando esta actitud, les advierte a sus compatriotas al Anticristo se le hace muy fácil vencer a quienes se alampan por la adquisición de las artes y ciencias:

> Sabed que la causa dello —dice— es que hoy entre los clérigos y religiosos y todas las otras gentes, tanto como tienen mejor ciencia, tienen menos conciencia, y son llenos de mucha soberbia, y dejáis los libros de la Biblia por los profanos, dejando lo bueno por lo malo.

El mismo título de la obra de Fernández de Ayala nos estremece: *Historia de la perversa vida y horrenda muerte del Anticristo* (Madrid, 1649). No hay que olvidar —y el contraste es inquietante— que es en esta misma época en la que empiezan a aparecer en

Francia, y en lengua francesa en otros países, obras de títulos tan sencillos, tan de este mundo y tan modernos como: Descartes, *Traité des passions;* Malebranche, *Recherche de la verité;* Fontenelle, *Entretiens sur la pluralité des mondes;* Bayle, *Dictionnaire historique et critique.*

Ahora bien: lo que nos interesa principalmente es ver qué efectos ha producido en la poesía la actitud de los infinitos Lucas Fernández de Ayala que había en España en ese momento. Mas hemos dicho que la literatura de un periodo determinado es hasta cierto punto espejo de la forma de vida contemporánea y de los patrones mentales que caracterizan todas las actividades intelectuales de ese mismo tiempo; así miremos primero, para guiarnos, las ciencias en la España del Hechizado. Veremos al mismo tiempo que la España «castiza» no podía seguir sin inyecciones de fuera.

Hay que recordar que las matemáticas son la base de toda la ciencia del siglo XVII. Se deben a filósofos como Descartes, Pascal y Leibnitz apreciables adelantos en la geometría analítica y el cálculo infinitesimal. Pascal inventa la máquina de sumar. Se basan en las matemáticas los descubrimientos de Galileo, de Newton y de Boyle en la astronomía, la gravitación, la óptica y la neumática. Los franceses, en efecto, suelen hablar entonces del *esprit géométrique* de toda su cultura: Pascal, por ejemplo, tiene un ensayo de crítica literaria titulado *De l'Esprit géométrique et de l'art de persuader.*

En marcado contraste, en España, cuando Torres Villarroel oposita a la cátedra de matemáticas de Salamanca en 1726, esa cátedra, según su testimonio, había estado sin profesor por treinta años y sin enseñanza que mereciera llamarse así por más de ciento cincuenta años. El mismo testigo apunta que en ese momento se creía generalmente en España que las artes matemáticas no se aprendían con el estudio trabajoso como las demás, sino que se recibían con los soplos, los estregones y la asistencia de los diablos.

Pero he aquí que el mismo Torres (que era más astrólogo que astrónomo) creía que si los mineros hiciesen excavaciones demasiado profundas, verían salir demonios con brasas vivas por ojos y exhalando humo por sus narices. Incluso el estilo de los títulos de los libros de matemáticas impresos en España en los decenios finales del seiscientos revela que la Iglesia sofocaba cualquier innovación científica. En 1674, con tono de *Memento mori,* aparece una obra polémica titulada *Responde desde la otra vida el P. Juan B. Poza a la especulativa y práctica de los planos y sólidos que imprimió el P. José de Zaragoza y la fábrica y uso de algunos instrumentos matemáticos.* Con título que imita los títulos de los tratados morales de los ascetas, sale en 1679 un libro con el rótulo *Ameno y deleitable jardín de matemáticas;* cámbiese *matemáticas* por *virtudes* —*Ameno y deleitable jardín de virtudes*—, y sería una rúbrica típica de la literatura ascética. En 1683 se publica un *Laberinto intelectual, astronómico y elemental.* No le pidamos mucha precisión a un científico que gusta de andarse por los laberintos.

En 1590, el holandés Zacarías Jansen inventó el microscopio. En 1736, casi ciento cincuenta años después, Feijoo reconoce con dolor que los microscopios y los entes invisibles que se ven con ellos, «en España [...] aun hoy casi son tan ignorados, como lo fueron en todo el mundo hasta el año de mil y seiscientos» *(Teatro crítico,* tomo VII). En 1697, con olímpico optimismo, Pierre Bayle escribe: «Nous voilà dans un siècle qui va devenir de jour en jour plus éclairé, de sorte que tous les siècles précédents ne seront que ténèbres en comparaison» (Aquí estamos en un siglo que se ha de ir ilustrando de día en día, de suerte que todos los siglos precedentes no serán sino tinieblas en comparación). Por contraste, en 1687, mientras Bayle compilaba su *Diccionario crítico,* el médico español Juan de Cabriada, raro espíritu moderno y cosmopolita que se siente ahogado en la España del último Habsburgo, presenta otra visión de las cosas totalmente opuesta a la del optimista francés Bayle:

> Que es lastimosa y vergonzosa cosa —lamenta Cabriada— que, como si fuéramos indios, hayamos de ser los últimos en recibir las noticias y luces públicas que ya están esparcidas por Europa. Y asimismo, que hombres a quienes tocaba saber esto se ofendan con la advertencia y se enconen con el desengaño. ¡Oh, y qué cierto es que el intentar apartar el dictamen de una opinión anticuada es de lo más difícil que se pretende en los hombres! *(Carta filosófica, médico-química).*

Todavía en 1727 el P. Isla creía tener motivo de advertir a los lectores españoles que Dios lo mismo habría podido mandar que hubiese 4.000 elementos que sólo los cuatro vulgares de aire, tierra, agua y fuego, y que esto, lejos de rebajar la grandeza de Dios, la encarecería mucho más. Y en 1739, no obstante, todas las aportaciones que había hecho a la reforma con los ochos volúmenes del *Teatro crítico universal,* Feijoo pasaba aún algunos momentos de angustiado pesimismo, y en uno de ellos, anticipándose al dicho: «Me duele España», atribuido a la Generación del 98, escribió: «El descuido de España lloro, porque el descuido de España me duele» (en «Honra y provecho de la agricultura», *Teatro,* tomo VIII).

Pero pasemos a la literatura. Por el terreno literario español de fines del siglo XVII y principios del XVIII vagaban unas alimañas y vestiglos todavía mas desaforados que los que hemos visto en el terreno científico. Quizá la mayor falta que jamás han cometido los cronólogos sea la de haber señalado la fecha de la muerte de Calderón, 1681, como la del final del Siglo de Oro. Los últimos decenios de la vida de Calderón no fueron prácticamente sino supervivencia física; producía ya poquísimas comedias nuevas. El teatro estaba en manos de comediógrafos como Bances Candamo, Hoz y Mota, Matos Fragoso, etc., que hoy sólo son leídos por algún que otro erudito. La situación de la lírica era peor todavía. Esteban Manuel de Villegas no murió hasta 1669, pero había publicado todo su verso más de cincuenta años antes, y en la época del Hechizado el Parnaso estaba en manos de detestables y merecidamente olvidados poetastros como José Tafalla Negrete y José Pérez de Montoro. Desde luego vivía y poetizaba entonces la famosa «Décima Musa», Sor Juana Inés de la Cruz, mas tuvo el buen gusto de refugiarse en Méjico.

Los literatos se aferraban al estilo nacional —gongorismo, conceptismo y culteranismo— tan tenazmente como se aferraban los «científicos» a las ideas de la Iglesia Católica sobre el universo y la naturaleza física de este mundo. Se veía como una ecuación entre estilo gongorino tradicional y ortodoxia católica. El estilo se miraba como una garantía de ortodoxia, y, así en la práctica, lo que estos escritores ultrabarrocos venían a decirse era esto: Mientras más idiotas seamos, más ortodoxos seremos. Y esto se ve muy bien por ser los más idiotas los ministros de Dios, los predicadores.

Veamos los títulos de dos sermonarios y un sermón suelto. Nótese que estos ejemplos por sus fechas representan la continuación del ultrabarroco en los primeros decenios del XVIII. Fray Francisco de Posadas († 1713) publica *Ladridos evangélicos del perro dados a la nobilísima ciudad de Córdoba en el ilustre cabildo, los jueves de Cuaresma.* El bachiller Pedro Muñoz de Castro es autor del siguiente sermón fúnebre de 1717: *Ecos de las Cóncavas del Monte Carmelo y resonantes balidos tristes de las Raqueles ovejas del aprisco de Elías, carmelitano con cuyos ardores derretidas en llanto sus hijas las religiosas carmelitanas lamentan la pérdida de su amantísimo benefactor, el Excmo. Sr.*, etc. Pero el campeón entre todos los locos del púlpito, un auténtico loco de atar, es el autor de cierto *Florilogio sacro*, que Feijoo llamaba «Floriloco» y sobre quien el P. Isla decía: «No nació mayor bestia ni animal más glorioso de mujeres.» Trátase de Fray Francisco de Soto Marne, el título de cuyo sermonario de 1738 llena hasta todos los bordes su portada: *Florilogio sacro, que en el celestial, ameno, frondoso Parnaso de la Iglesia, riega (místicas flores) la Aganipe sagrada, fuente de gracia y gloria Cristo. Con cuya afluencia divina, incrementada la excelsa Palma mariana (triunfante a privilegios de gracia) se corona de victoriosa gloria. Dividido en discursos panegíricos, anagógicos, tropológicos y alegóricos, fundamentados en la Sagrada Escritura, roborados con la autoridad de Santos Padres y exegéticos, particularísimos discursos de los principales expositores y exornados con copiosa erudición sacra y profana, en ideas, problemas, hieroglíficos, filosóficas sentencias, selectísimas humanidades.*

Las mismísimas características se acusan en la poesía durante el último tercio del siglo XVII y el primer tercio del XVIII. El rótulo de las obras en verso del ya mencionado Tafalla Negrete es: *Ramillete poético de las discretas flores del amenísimo, delicado numen del Dr. D. José Tafalla Negrete*. Resulta iluminativo por lo oscurantista un trozo del prólogo a un poema épico de 1667. ¡Y qué héroe épico más original tiene este poemón! ¡Es nada menos que Santo Tomás de Aquino! Se trata de *La Tomasiada*, de Fray Diego Sáenz de Ovecuri, quien en su prólogo señala el gran interés de su versificación, que consta de sonetos de ocho pies, romances mudos compuestos de figuras solas que hablan, *laberintos* esféricos, poniendo la letra por centro de donde salgan los versos como líneas, y de sus catorce letras ahorrarás las trece si eres avariento.

Vimos antes que había laberintos en las ciencias matemáticas; pues ya se ve que laberintos había también en la poesía. En efecto: la palabra *laberinto* nos da otro testimonio del hecho de que se veía cierta ecuación entre estilo gongorino y ortodoxia católica; pues esa voz era frecuente también en las obras doctrinales de la época. Por ejemplo, en 1670 se publica una obra titulada *La verdad vestida, laberintos del mundo, carne y demonio,* de Fray Juan Bautista de Rojas y Ausa. Por los mismos años en que el poeta español Ovecuri componía sus laberintos poéticos, en Francia —y otra vez el contraste es turbador— Boileau asertaba, en el canto I de su *Art poétique:* «Quelque sujet qu'on traite, ou plaisant, ou sublime, / Que toujours le bon sens s'accorde avec la rime. / L'un l'autre vainement ils semblent se haïr; / La rime est une esclave et ne doit qu'obéir» (No importa qué tema se trate, sea de diversión, o sea sublime, / El buen sentido siempre debe concordar con la rima. / El uno y la otra parecen en vano odiarse; / La rima es una esclava, y no debe sino obedecer).

Es evidente que en España hacía falta una enorme dosis de este tipo de «buen sentido», pero en España, como veremos por nuestras sucesivas lecciones, esta medicina vendría de fuentes españolas, y no de Boileau, como se ha creído muy equivocadamente. Hemos considerado suficientes datos y ejemplos para extraer ya de estas reflexiones nuestra tercera y última moraleja: *El siglo XVIII no es una época decadente; el periodo que le precede lo es.* Ahora, para concluir, quisiera reproducir dos sonetos, uno compuesto en 1707, después de un siglo de barroquismo; y otro compuesto en 1805, después de un siglo de neoclasicismo —después de un siglo de siglo XVIII, por así decirlo—, ambos de poetas olvidados, aunque por la comparación parece injusto que el segundo esté postergado. El primer sonetista, José de Villarroel, elogia el estilo de un orador que pronunció un discurso en latín en unas fiestas organizadas en Salamanca con ocasión del nacimiento del Príncipe Luis, después Luis I de España:

> Cisne canoro, fénix soberano
> Del emporio y empíreo salmantino,
> Cuya ley por derecho a hacerte vino
> Paulo dos veces ya, fiel y africano.
>
> Cédale a tu oración, cuanto al romano
> latino rumbo, le aplaudió divino,
> ¡O castellano, afrenta del latino!
> ¡O latino, esplendor del castellano!
>
> Por la acción el acento conociendo,
> Con más galante equívoco ilumina
> Tu mano hablando, si tu lengua haciendo;
>
> Lengua, en fin, dé a tu aplauso la latina;
> Pues ya por peregrina, común siendo,
> Tú de común la has vuelto peregrina.

¡Esto, ni Dios lo entiende! De haber seguido evolucionado así el idioma español, hoy en día dos españoles serían incapaces de entenderse aun al darse los buenos días, pues semejante saludo sería imposible sin alusiones a Apolo, Febo, Esculapio, Delos, el carro del día, etc. Tuvo que haber una reforma.

El soneto de cien años después, de Gregorio Isaac Díaz de Goveo, es de estilo sencillo y clásico, y en él se oyen inconfundibles ecos de la lira del Príncipe de los Poetas Castellanos, Garcilaso de la Vega.

A ELFIRSA

Si este tierno anhelar del alma mía
Te pudiese explicar, y mi gran pena,
Leerías el pesar que me condena
A la más insufrible tiranía.

Las ansias, los horrores te diría
Con que la cruda suerte me envenena
Esta alma, un tiempo de placeres llena,
Un tiempo, ¡Elfirsa!, cuando Dios quería;

Pero pues llega a tal mi desventura
Que ni aun quejarme puedo, al menos deja
Que compare mi mal con mi ventura,

Mostrándote mi amor, y no mi queja,
En un triste renglón tan solamente:
Quien te ama como yo, como yo siente.

Si esto lo ha podido escribir un poeta completamente olvidado un siglo después de otro, es evidente que en España no se ha vivido durante el setecientos ni una centuria antipoética, ni una centuria anti-española, ni una centuria decadente.

Capítulo II

Hacia una definición del neoclasicismo

Existe una fuerte tentación a definir el principio del neoclasicismo por el año 1737. Se reúnen en él, en sólo doce meses, tantos sucesos relacionados con la nueva dirección literaria, que parece que se trata de uno de esos singulares años que en la historia literaria acostumbramos a llamar «annus mirabilis»: se publica la *Poética* de Luzán; se lanza el *Diario de los literatos de España,* en uno de cuyos volúmenes se estampará la *Sátira contra los malos escritores de este siglo,* de Jorge Pitillas; se editan los *Orígenes de la lengua española* y la *Vida de Cervantes,* ambos de Mayans; nace Nicolás Fernández de Moratín, etc. Sería asimismo posible fechar el final del neoclasicismo, o su última influencia significativa, por la publicación de las ideas de otro gran crítico, cien años después de publicarse las de Luzán: me refiero a las *Lecciones de literatura española,* 1836, de Alberto Lista, pero sobre todo a sus *Ensayos literarios y críticos,* 1844. Estos marcadores cronológicos bien podrán ser muy útiles para distinguir el *movimiento* neoclásico de la más larga *tendencia* neoclásica —siglos XVI a XIX— dentro de la que se encuadra tal movimiento, mas como en estas páginas nos interesa tanto la tendencia, como

41

el movimiento, y como por otra parte los límites estrechos en el tiempo pocas veces favorecen a la comprensión historiográfica, prefiero de momento tomar en cuenta otros elementos definitorios. En los capítulos tercero y cuarto, examinaremos lo que yo llamo la tendencia neoclásica, lo cual nos llevará al descubrimiento de las verdaderas fronteras del neoclasicismo. Mas por ahora consideremos el sentido del mismo término *neoclásico* cuyo prefijo indica que este adjetivo compuesto se refiere a una renovación de aquello que es *clásico*. Primero, ¿qué es lo *clásico?*

Son cuatro las acepciones del adjetivo *clásico* que tendremos que tomar en cuenta para poder aclarar después el sentido de *neoclásico:* 1) «*Clásico* se toma por cosa selecta, de notoria calidad y estimación, y por digna de todo aprecio, como autor clásico, hombre clásico» *(Diccionario de Autoridades,* II, 1729). Es un puro latinismo en tales casos, pues en latín se decía «classici auctores» a los de mayor autoridad. 2) *Clásico* significaba a la vez perteneciente a las clases en las escuelas y las universidades, y por extensión de la primera acepción que hemos enumerado se aplicaba a aquellos excepcionales textos que eran adecuados para servir como modelo en las clases, modelo estilístico digno de imitarse. (Hacia el siglo VI incluso se le llamaba *classicus* al alumno.) 3) *Clásico* desde hace varios siglos sirve para designar todo lo perteneciente a las letras grecolatinas de la antigüedad, a las que se iba regularmente en busca de modelos para la imitación. 4) La cuarta y última acepción de *clásico* que vamos a tomar en cuenta es la más importante para el presente tema y marca época, pues se trata de la primera ocasión en que *clásico* se aplica a autores españoles. Pero no termina ahí la singularidad del texto de 1627 que voy a citar, porque representa a la vez el primer momento en que en cualquiera de los principales idiomas modernos *clásico* recibe tal sentido.

(El inglés y el francés, por ejemplo, tardan respectivamente 110 y 170 años más en aplicar los adjetivos *classical* y *classique* a sus literatos nacionales.)

El aludido libro de 1627, desconocido de Corominas, quien cita sólo ejemplos posteriores de *clásico* y además con otro sentido, es: *Panegírico por la poesía,* a veces atribuido a Fernando de Vera y Mendoza. En un apartado de este libro en el que se habla de Garcilaso, fray Luis de león, los Argensolas, Lope de Vega, Quevedo, Góngora, etc., se encuentra la aludida acepción nueva del adjetivo de que se trata y que subrayo:

> Francisco López de Zárate, para ser famoso, no ha menester más versos que los catorce de la Rosa; ni Silveira quiere más alabanza, que la que le promete el *Poema de los Macabeos* [...], y a otros mil poetas *clásicos* que habrá quisiera dar la que merecen.

El autor del *Panegírico* reitera su nuevo concepto de lo *clásico* al señalar al más estimable modelo para la imitación, pues también toma nota «de los que mejor imitan a Garcilaso».

Ahora bien: *neoclásico* es una voz sintética de historiadores modernos (data del siglo XIX), y el prefijo *neo-* es un elemento léxico completamente neutro utilizable en cualquier contexto en que se trate de alguna repetición temporal, formal, metodológica, etc. Por lo tanto, *neoclásico* puede aludir a la imitación de cualquier objeto individual o al conjunto de todos los objetos que alguna vez se hayan llamado *clásicos* en cualquiera de los sentidos que hemos repasado, pertenezcan a la época histórica a la que pertenezcan. Por ejemplo, Heinrich Heine, en su ensayo *La escuela romántica* (1836), llama *neoclásicos* a los artistas y poetas del Renacimiento, así como a los poetas franceses de la época de Luis XIV, aunque no es frecuente designar así a ninguno de estos grupos. El término es flexible. Otra definición de *neoclásico* que pocas veces se toma en cuenta en los estudios sobre el neoclasicismo español, aunque yo vengo insistiendo en ella desde hace veinte años, es la de «nuevo clásico español». *Neoclásico,* referido al ámbito geográfico español, no tiene que limitarse por motivo alguno a aquellos casos en que se imita lo grecolatino o lo francés. Ya hemos dicho que *neoclásico* es una palabra sintética, y la justificación histórica de una definición nueva del término —no nueva para la realidad de las cosas, sino sólo para la crítica— será automática si existen en épocas clásicas conceptos de lo *clásico* correspondientes a la interpretación que se quiera dar al adjetivo derivado. Y en efecto: la existencia de las líneas del *Panegírico por la poesía* que quedan citadas, justifica plenamente que definamos el adjetivo español *neoclásico* como «perteneciente a esas obras en las que se tome por modelo, ya a un autor clásico grecolatino, ya a un autor clásico español». Volveremos sobre el sentido bifronte tanto de este término como de la realidad literaria que representa, mas por de pronto veamos cómo se ha de aplicar el adjetivo *neoclásico* a autores y obras individuales del setecientos español.

En sentido libre podríamos aplicar el término *neoclásico* a un escritor como Feijoo, en cuyo caso significaría que era un nuevo modelo del estilo, digno de imitarse, una norma digna de tenerse en cuenta en la composición. Las características del estilo de Feijoo son, en realidad, las que suelen buscarse en las obras clásicas: claridad, sencillez, madurez. También en sentido lato sería posible aplicar el término *neoclásico* al padre Isla porque para la creación de su personaje novelístico fray Gerundio utiliza la muy clásica técnica de la «imitación de lo universal», reuniendo en un personaje rasgos tomados de muchos predicadores, y a la vez imita unos modelos en cierto sentido clásicos: el *Quijote,* la novela picaresca, etc. Por fin, en sentido igualmente libre, supongo que se podría hablar del neoclasicismo de una obra como las *Visiones* de Torres Villarroel, pues en ellas se imita un «clásico» español: los *Sueños* de Quevedo, y en las mismas *Visiones,* Torres dice que los poetas deben imitar buenos modelos y no confiar únicamente en la inspiración natural.

Sin embargo, ¿por qué en sentido estricto no deberán los términos *neoclasicismo, neoclásico* aplicarse a ninguna de las obras que acabamos de mencionar? Pues, porque no pertenecen a ninguno de los géneros descritos, y así en cierto modo autorizados, en las dos obras críticas de la antigüedad con las que en la práctica se establecieron los criterios del clasicismo para dos milenios: quiero decir, la *Poética* de Aristóteles (siglo IV a. C.) y el *Arte poética* de Horacio (siglo I a. C.). Tampoco en las poéticas de las naciones modernas, basadas en las antiguas, se describen formas literarias como las cultivadas por Feijoo, Isla y Torres.

Este punto podrá parecer muy elemental; y sin embargo, los mejores críticos al hablar del XVIII aplican equivocadamente el adjetivo *neoclásico* a las obras ya mencionadas y a otras como las *Cartas marruecas* de Cadalso o los célebres informes de Jovellanos, a los que es igualmente ilícito aplicarlo. Pero, ¿por qué es ilícito tal uso del término? Contestemos a esta interrogación volviendo a preguntar: ¿De qué géneros de hecho se habla en las artes poéticas compuestas en los tiempos que hoy llamamos clásicos? Porque en sentido estricto los calificativos *clásico* y *neoclásico* inevitablemente van a referirse a esos géneros. Ello es que en las poéticas sólo son reconocidos tres géneros literarios: 1) la poesía dramática (tragedia y comedia); 2) la poesía épica (seria y burlesca), y 3) la poesía lírica (odas filosóficas y religiosas, anacreónticas, églogas, elegías, epigramas, etc.).

En resumen, la literatura en el sentido de bellas letras —aquello que producía el auténtico artista literario— abarcaba para los clásicos y los neoclásicos tan sólo los géneros en verso. Retrospectivamente, desde nuestra distancia, ciertas formas prosaicas del XVIII parecen tan características del periodo como las formas poéticas cultivadas entonces; mas a las primeras los literatos de la misma época no les concedían la alta distinción de clasificarse como arte literario. Este rechazo no se motivaba sólo por el hecho de que las obras de los Feijoo, los Torres y los Isla no estuviesen compuestas en verso. Los neoclásicos eran muchísimo menos inflexibles de lo que suele creerse hoy. Luzán, por ejemplo, escribe en 1754:

> Yo no tendría dificultad alguna en llamar poesía a muchos pasajes de los grandes historiadores, particularmente cuando refieren cosas muy antiguas y oscuras y expresan circunstancias de que no hay memoria (*Poética*, adiciones a edición de 1737).

(Esto ya es casi de Bécquer, si se piensa en la rima V.) Mas, al contrario, se excluían los géneros en prosa, porque no estaban enoblecidos por la larga tradición de artesanía literaria —cuidadosa elaboración y exigente pulimento— que solía observarse en los géneros poéticos. Por ejemplo, sobre la novela, género prosaico, Boileau había escrito en su *Art poétique*: «Dans un roman frivole aisément tout s'excuse; / C'est assez qu'en courant la fiction amuse; / Trop de rigueur alors serait hors de saison» (canto III). Y todavía antes Lope de Vega había expresado la misma idea al aludir a su propio teatro novelesco, en el prólogo a su comedia *Lo cierto por lo dudoso*:

> Yo he pensado que tienen las novelas los mismos preceptos que las comedias, cuyo fin es haber dado el autor contento y gusto al pueblo, aunque se ahorque el arte.

En fin, relacionando todo esto con el siglo XVIII, *dieciochesco* y *neoclásico* no son de ningún modo calificativos intercambiables. A menos que usemos el término *neoclásico* con la mayor precisión, se nos embrollará su sentido tanto como el de *romántico*. Así no apliquemos nunca el adjetivo *neoclásico* a las obras en prosa salvo por alguna razón muy concreta que *parezca* conectar una determinada obra prosaica con los rasgos generales del neoclasicismo, y aun entonces debemos hacerlo en tal forma que sea evidente que se trata de una aplicación figurada. Por ejemplo, podríamos decir: «La insistencia de Feijoo en simplificar el estilo es un fenómeno de tipo neoclásico.»

Pasemos a hablar ahora de los temas, la tonalidad y las técnicas de la lírica neoclásica, porque es principalmente de este género neoclásico del que nos ocuparemos. En la lírica neoclásica, después del hombre, el tema más frecuente es la naturaleza, por lo cual el naturalismo, en su sentido original de preocupación por la naturaleza y su representación en las artes de imitación, es uno de los principales distintivos del tipo de verso que estamos examinando. Y bien mirado, no es sorprendente que los poetas dieciochescos vuelvan al interés naturalista de la poesía grecolatina, pues también los filósofos del XVIII con su fuerte insistencia en la observación vuelven al naturalismo de un filósofo realista como Aristóteles.

Ahora bien: ¿cómo se trata la naturaleza en la poesía clásica antigua? ¿cómo se define el naturalismo clásico, que se iba a reflejar hasta cierto punto en el neoclásico? En la lírica antigua variaba el tratamiento de la naturaleza entre el realismo del epodo segundo de Horacio, *Beatus ille, qui procul negotiis,* en el que se describen los bueyes, las mieses, la poda de los álamos, el esquileo de las ovejas, la recolección de las uvas y las peras, el almacenamiento de la miel, y en

47

general se hace el elogio de las golosinas y deleites no comprados de los pobres. Digo que en la lírica de la antigüedad variaba la visión de la naturaleza entre este realismo horaciano y la rebuscada elegancia de un poema como la elegía de Catulo a la muerte del pájaro de Lesbia, *Lugete, O Veneres Cupidinesque,* en la que hay que suponer que lo más cerca que se llegará a la naturaleza será un primoroso jardín con sendas de la más fina y selecta grava, cuadros de flores geométricos y arbustos esculpidos, y los personajes femeninos de tales composiciones más bien que campesinas o pastoras serán damas de la máxima distinción.

Con este segundo modo de enfocar la naturaleza se corre desde luego el peligro de caer en la excesiva artificialidad, y, sin embargo, esta visión de la naturaleza fue la más favorecida por los neoclásicos. En realidad, no podía ser sino así, teniendo en cuenta la elegancia y la sofisticación de la forma de vida en la Europa del setecientos. En parte la elegancia de la poesía se debía a la elegancia de las damas que la inspiraban, y ellas mismas empezaban a hacer versos con cierta frecuencia. En el capítulo anterior mencioné el libro francés de mediados del siglo XVIII titulado *L'Art poétique à l'usage des dames,* y un ejemplo concreto español era la encantadora poetisa doña María de Hore, «La Hija del Sol», que era la niña mimada de los salones de Cádiz y Madrid. En parte, se debía también la elegancia del verso a la elegancia de los caballeros que lo cultivaban. No hay que olvidar a ese caballero, descrito por Cadalso, que bebía café en una taza importada de China o Sajonia por vía de Londres, pedía sus camisas a Holanda, usaba una bata de seda hecha en Lyon, hacía encuadernar sus libros en París, comía con vajilla de plata Sheffield de Londres y sólo se divertía con las óperas italianas y tragedias francesas. ¿Cómo podía tal señor gozar leyendo descripciones de bueyes, la poda de los álamos y el esquileo de las ovejas? ¿Podía haber cosa más repugnante para él?

Y no obstante, al mismo tiempo, los elegantes querían volver a la naturaleza, pues se sospechaba que el vicio era el compañero inevitable de la civilización y el refinamiento, y que la virtud no podía existir sino en el estado incorrupto de la naturaleza. Después de todo decía Rousseau: «La solitude calme l'âme et apaise les passions que le désordre du monde fait naître» *(Discours sur les sciences et les arts,* 1750). La oposición implícita entre los conceptos *refinamiento* y *naturaleza* lleva a un curioso conflicto: una vuelta a la naturaleza y una huida simultánea de ella. Los elegantes del XVIII querían, por decirlo así, estar en misa y repicando. Les atraía la virtud del campo, pero no querían renunciar a ninguno de los refinamientos de que gozaban en la Corte. La naturaleza y la elegancia tendrían que hacerse concesiones mutuas.

La reina de Francia ordeña vacas bien lavadas y perfumadas. En los grabados de libros europeos dieciochescos sobre las Indias Orientales, las mujeres de esas sencillas y virtuosas tierras llevan vestidos de pluma y yerba, como es natural, pero cortados sobre el mismo patrón que los de la condesa-duquesa de Benavente, con tontillo y todo. Las aristócratas españolas visten trajes de campesina, confeccionados con lujosas telas poco usadas entre campesinas verdaderas, como se ve en las pinturas de Mengs y otros artistas de la época. En 1770 y tantos la Sociedad Económica de Madrid vota unánimemente por «volver a la naturaleza», citando como ejemplo digno de emularse el de la Casita del Príncipe en El Escorial. Pero para esa época no cabe mayor comodidad en el contexto de la «humildad» campestre. En fin, hay que juzgar la preferencia dieciochesca por el refinado tratamiento catuliano de la naturaleza de acuerdo con la peculiar cosmovisión de aquella época, y no debemos dejarnos llevar por los prejuicios de nuestro tiempo.

Inspirarse en la poesía de la antigüedad clásica, cultivar los mismos géneros que habían manejado los antiguos, y dentro del naturalismo dar preferencia al tratamiento refinado catuliano o anacreóntico de la naturaleza: todo esto es tan característico de la lírica neoclásica de otras naciones europeas como de la de España. Hasta aquí nuestra definición es demasiado general para que se acomode específicamente a la poesía española del XVIII, mas se nos resolverá este problema si adaptamos nuestra descripción de la poesía neoclásica a la definición que dimos antes del término *neoclásico*. En la Europa setecentista ya se puede hablar de «los clásicos de cada nación», como lo hace Cadalso, en efecto, con estas mismas palabras, en las *Cartas marruecas;* y ya hemos dicho que *neoclásico,* en una de sus acepciones, se refiere a la imitación de los clásicos nacionales.

Entonces, *neoclasicismo,* tanto la práctica como el término, significa una renovación de lo nacional a la par que de lo antiguo grecolatino. Se trata, por tanto, de un movimiento *híbrido* por lo que respecta a sus modelos y fuentes. Los dos grupos de poetas a quienes Luzán cita con mayor frecuencia como ejemplos son los antiguos y los españoles. Y esta forma híbrida, bifronte, es el único modo en que nos será lícito definir el neoclasicismo en el contexto de la literatura española, porque de otra manera sería imposible considerar como pertenecientes con igual derecho al mismo movimiento poemas tan diferentes entre sí como, por un lado, la adaptación que hace Cadalso de la elegía de Catulo a la muerte del pájaro de Lesbia: «De mi querida Lesbia / ha muerto el pajarito»; y por otro lado, del mismo Cadalso, la letrilla «De amores me muero / Mi madre acudid», que tiene sus únicos antecedentes en canciones tradicionales o clásicas españolas como «Amores me matan, madre», del *Cancionero gótico de Velázquez de Ávila,* de 1535-1540. Sin que se tuvieran en cuenta las fuentes híbridas del neoclasicismo español tampoco sería posible acomodar en este movimiento el romance de Moratín padre, *Don Sancho en Zamora,* inspirado en los romances viejos. Este poema se ajusta a la clasificación de los antiguos en la medida en que es épico, mas su tema y su metro son netamente españoles; y solamente si se acepta la definición propuesta aquí, puede tal composición mirarse como neoclásica. Debieron de influir en el aspecto medioevalista del hibridismo neoclásico los importantes estudios y ediciones de la poesía antigua española realizados durante el XVIII por fray Martín Sarmiento, Luis José Velázquez (marqués de Valdeflores) y Tomás Antonio Sánchez. En todo caso, definir el neoclasicismo como un movimiento híbrido que procura restaurar, no solamente lo clásico grecolatino, sino también lo clásico nacional, es —insisto en ello— el único modo posible de dar carta de ciudadanía a las letrillas, décimas, seguidillas, romances, romancillos y otras formas de tradición exclusivamente española cuando las cultivan los neoclásicos: importante problema de clasificación que yo planteé por primera vez hace tres años.

Pero volvamos a mirar esos otros elementos no nacionales, sino aparentemente grecolatinos, del neoclasicismo. En realidad, ¿de dónde vienen, durante la época neoclásica, los elementos de tipo grecolatino? Todo alumno de instituto sabe que dos siglos antes del movimiento neoclásico ya se cultivaban en España églogas, elegías, odas, anacreónticas y otras formas líricas de abolengo grecolatino. Vienen inmediatamente a la memoria nombres como Juan Boscán, Garcilaso de la Vega, fray Luis de León, Lupercio y Bartolomé Leonardo de Argensola, Francisco de Figueroa, Esteban Manuel de Villegas, etc. El hecho de que estos poetas, aún más que los mismos antiguos, fuesen considerados en el XVIII como modelos indispensables para la poesía de tipo grecolatino, se revela en forma elocuente por las reimpresiones del verso de los poetas aureoseculares durante la época neoclásica. Las poesías de fray Luis son reimpresas en 1761, por primera vez en 130 años, desde 1631. Garcilaso es reimpreso en 1765, por primera vez en 107 años, desde 1658. Median 157 años entre la primera edición del verso de Villegas en 1617 y su edición neoclásica de 1774; y 152 años entre la edición de 1634 de los Argensolas y la edición dieciochesca de 1786. Tan españolamente clásica es la poesía neoclásica española, que si no hubiera sido por estas ediciones, serían desconocidos hoy los versos de los principales poetas del Siglo de Oro. La íntima asociación entre elementos antiguos grecolatinos y elementos nacionales en la poesía neoclásica de sello culto también se ve muy claramente por lo que dice José Nicolás de Azara en su prólogo a la nueva edición de las *Poesías* de Garcilaso, estampada en la Imprenta Real de la Gaceta en 1765:

> El poeta que no haya imitado a los antiguos, no será imitado de nadie [...]. Garcilaso se hizo poeta estudiando la docta antigüedad [...], y éste es el modelo que presento a mis paisanos.

Es decir, un modelo dos veces clásico.

Ni la forma en ciertos aspectos más artificiosa de la poesía naturalista neoclásica, la anacreóntica, se inspira exclusivamente en el verso del poeta griego Anacreonte de los siglos VI y V a. C., sino que tiene sus indispensables antecedentes formales y temáticos en las anacreónticas seiscentistas de Esteban Manuel de Villegas. Por regla general, entonces, es relativamente reducida la influencia grecolatina directa, aunque naturalmente existen traducciones realizadas durante la época neoclásica: por ejemplo, *Poesías de Anacreón, Teócrito, Bion* y *Mosco,* traducidas del griego por José Antonio Conde, Madrid, Oficina de Benito Cano, 1796. Tampoco es exagerada la influencia directa de poetas extranjeros contemporáneos. La influencia extranjera más significativa sobre la poesía dieciochesca es probablemente la del verso inglés y suizo: Pope, Young, Thomson, Gessner, Haller. Mas aun estos poetas influyen sobre el prerromanticismo más bien que sobre el neoclasicismo.

En vista de la visión usual de la poesía neoclásica —la que se nos inculcó a todos con la lectura de los manuales— parece especialmente sorprendente que no haya prácticamente ninguna influencia directa de los poetas franceses sobre los neoclásicos españoles. En 1754, el marqués de Valdeflores escribe: «De los poetas franceses tenemos muy pocas traducciones.» En las Actas de la Academia del Buen Gusto apenas se menciona que haya poesía francesa, y tampoco se comenta el verso francés en la Tertulia de la Fonda de San Sebastián. (Es más considerable la influencia italiana sobre la poesía neoclásica española; pero, por otra parte, tal influencia está en consonancia con la tradición recibida del primer siglo áureo.) Ya el patriarca de la Ilustración española, Feijoo, en 1726, había prevenido a sus compatriotas del peligro de imitar la poesía francesa:

> Los poetas franceses —dice el simpático benedictino— [...], por afectar ser muy regulares en sus pensamientos, dejan sus composiciones muy lánguidas, cortan a las musas las alas o con el peso del juicio les baten al suelo las plumas *(Teatro,* tomo I).

Y veinticinco años después, en 1751, Luzán, haciendo de comparatista, en sus *Memorias literarias de Pa-*

rís, hace significativamente el comentario siguiente:

> Sólo diré que la poesía vulgar no hizo tantos progresos en Francia como en otras partes. Baïf, Magny, Du Bellay y otros que florecieron en el siglo XVI no creo que se puedan comparar con los que produjo Italia y España en el mismo siglo.

En el siglo XVIII las diferencias entre la poesía española y la francesa saltan a la vista. El soneto, que es una de las formas más cultivadas en España durante el setecientos, prácticamente desaparece de la poesía francesa durante esa centuria. Y veamos un caso de aparente innegable influencia fuerte francesa: Iriarte. Mas el Iriarte fabulista, lejos de ser plagiario de La Fontaine, realiza la mayor innovación en el género apológico que se había introducido desde la antigüedad: fue el primer fabulista en tomar sus moralejas, no de la ética, sino de otra disciplina, la poética.

Fuera de ciertos filósofos modernos, las únicas apreciables influencias extranjeras —extranjeras sólo en el sentido jurídico— son algunos importantes comentadores de la poética: Crescimbeni, Crousaz, Gravina, Le Bossu, Muratori, Pope, Vida, Rapin, Robortello, etc. Pero, en realidad, estos señores, más bien que teóricos o críticos extranjeros, no son sino maestros de una ciencia universal, basada en la naturaleza, igual que la física, según se la veía entonces; y así el objeto de su estudio es tan de la propiedad de un país, como de la de cualquier otro. «Una es la poética —decía Luzán— [...], común y general para todas las naciones y para todos los tiempos» *(Poética,* libro I). Las reglas de Aristóteles y Horacio, ya sean expuestas por españoles como Alonso López Pinciano y Francisco Cascales, o ya por franceses e italianos como Rapin y Robortello, son todavía las mismas reglas; y en este último caso, decir a secas que se trata de una influencia extranjera, desnaturalizante, como se ha dicho en muchos manuales, es desconectar España de la tradición occidental y afirmar con los franceses que África empieza en los Pirineos.

Ya en el mismo XVIII Tomás de Iriarte se daba cuenta de que se producían grandes confusiones históricas por la xenofobia, y sobre todo francofobia, española respecto a las reglas y se lamentaba de que España fuese «... la tierra donde creen / que el arte y sus preceptos verdaderos / son invención moderna de extranjeros» (Epístola II, a Cadalso, 8 de julio de 1777). La falsedad de la noción de que las reglas estén más estrechamente asociadas con una nación moderna que con las demás, la reconocen los propios franceses. René Bray, en *La Formation de la doctrine classique en France* (1926), escribe: «Les Français sans doute n'ont pas inventé une seule règle» (Los franceses sin duda no han inventado ni una sola regla).

Yo lo decía hace veinte años, pero aunque hemos progresado, tengo desgraciadamente demasiados motivos para repetirlo: ¡Desechemos ya de una vez términos como *galoclasicismo, seudoclasicismo a la francesa,* etc., pues no corresponden a ningún aspecto documentable de la realidad literaria española. El término justo y preciso es *neoclasicismo,* y su definición correcta, en el contexto histórico español, es: «nuevo clasicismo español»; porque recapitulando lo dicho hasta aquí, tal movimiento se basa en 1) géneros poéticos antiguos, para cuya adaptación a la literatura española ya se habían formulado procedimientos durante el Renacimiento; 2) modelos cultos nacionales, representados por las obras de los poetas renacentistas españoles que naturalizaron los géneros antiguos; 3) modelos populares nacionales: romances, romancillos, letrillas, seguidillas, décimas y otras formas de tradición exclusivamente española, que los neoclásicos nunca han despreciado; 4) modelos extranjeros compatibles con la tradición española, por ejemplo, los italianos: poetas del setecientos, como Metastasio, Parini, Alfieri, pero quizá con mayor frecuencia, los mismos clásicos italianos que habían inspirado a la generación de Garcilaso. Desde luego los contenidos intelectuales comunicados por los géneros, temas y técnicas tradicionales durante el XVIII son muchas veces muy nuevos, porque en el setecientos España atraviesa una época muy cosmopolita y participa plenamente en muchas de las actividades de esa época, pero éste es un tema aparte que no nos concierne aquí.

He aludido ya varias veces a las «reglas», y ninguna definición del neoclasicismo quedará completa sin prestar alguna atención a la preceptiva. Al mismo tiempo, como existe todavía cierta confusión sobre la naturaleza de las reglas, quisiera ahora añadir algunas observaciones a lo que he dicho sobre esta materia en otras ocasiones.

Reglas, preceptos, leyes: parecen voces excesivamente ásperas para hablar de la frágil flor de la poesía. Esto es, si aceptamos la idea corriente de que la poesía sea aquello que copia extasiado el poeta al posar en su hombro, cual dulce colibrí, una etérea musa para dictarle, en un misterioso y armónico lenguaje ya pulido y rimado, ciertas revelaciones de carácter divino. Frente a esta visión de la poesía como producción divinamente inspirada y filtrada por la sensibilidad de un loco de cabellera desgreñada, la idea de que pueda haber reglas para el verso parece tan inconcebible como el que un crítico del arte prefiera la compañía de los fontaneros, los carpinteros, o los empleados de la bolsa de valores.

Y sin embargo, si se habla con los poetas, o si se leen los escritos autocríticos de los poetas, acaba uno dándose cuenta de que lo más importante para escribir poesía es el aprender a «darles a los pensamientos la debida libertad y no obstante restringirlos con la debida disciplina», según decía el inglés seiscentista Sir George Savile, primer marqués de Halifax. La torcida visión de las reglas como enemigas de la poesía nació en la época romántica, pero ya en esa misma época se refutó con argumentos irrebatibles. En 1844, Alberto Lista escribe:

> Ya es tiempo [...] de que cese esa nueva preocupación nacida en nuestros días, que supone inútil el estudio y las reglas para sobresalir en la poesía; y si semejante delirio no podría ni aun decirse de un pintor, de un músico, de un arquitecto, ¿cómo se tolera que se diga de los que se ejercitan en pintar y en describir por medio del lenguaje? Porque el objeto de todas las bellas artes es el mismo; y ¿por qué no ha de ser necesario para la más noble de todas el estudio que lo es para las demás? (en *Ensayos literarios y críticos,* tomo I).

El poeta francés Paul Valéry dice que el poeta es «un frío sabio, casi un algebrista, al servicio de un soñador». Gautier preguntó a Baudelaire si no se daba a la lectura de los diccionarios, y el poeta norteamericano Melville Cane confiesa que encuentra a menudo al leer los diccionarios la voz que sugiere todo un poema.

El mismo proceso creativo del poeta es frecuentemente lo más antipoético que cabe imaginarse. En sus *Cartas literarias a una mujer* (II), Bécquer subraya con humorismo romántico el hecho de que la inspiración por sí sola no basta para la creación de un poema:

> Es más grande, más hermoso, figurarse al genio ebrio de sensaciones y de inspiraciones trazando a grandes rasgos, temblorosa la mano con la ira, llenos aún los ojos de lágrimas o profundamente conmovidos por la piedad, esas tiradas de poesía que más tarde son la admiración del mundo; pero, ¿qué quieres? No siempre la verdad es lo más sublime [...]. Hay una parte mecánica, pequeña y material en todas las obras del hombre.

En 1941, en *Tel Quel-I,* Paul Valéry expresa la misma idea desde otro punto de vista:

> La idea de la Inspiración contiene éstas: [1] Lo que no cuesta nada, tiene el mayor valor. [2] Lo que tiene el mayor valor, no debe costar nada. Y ésta: [3] Gloriarse más de aquello de que uno es menos responsable.

Quiere decirse que si el poeta hace de mero siervo respecto de la Inspiración, y el poema no le cuesta ningún trabajo propio, pierde gran parte de su distinción y dignidad respecto de los hombres ordinarios, no siendo en tal caso sino filtro más o menos inconsciente.

De hecho, la inspiración es una experiencia demasiado fugaz y agotadora para permitir que se componga el poema mientras dure. Como la experiencia mística o la experiencia sexual, la experiencia estética o inspiración deja completamente rendido y sin fuerzas al que la ha sufrido. Es indispensable la inspiración, pero no basta. Donde acaba la inspiración, empieza la elaboración (la «parte mecánica, pequeña y material» de Bécquer), que es una reconstrucción en frío y a través de los recuerdos: la «emoción recordada en la tranquilidad» de Wordsworth. Se trata de reconstruir la experiencia, no sólo para nosotros mismos (esto sería fácil, porque tenemos la memoria personal, viva e inmediata de esa experiencia), sino para otros. Todo poema es la iniciación de unos neófitos en los misterios de mi propia secta religiosa, mi propio modo de rendir culto a aquello inefable, infinito y eterno que es el objeto de mi añoranza. Hay que hacer que el lector pueda decir —para tomar unas palabras del buen Lázaro de Tormes—: «yo sentí lo que él sentía». Y esto, dada la enorme diversidad de nuestras maneras de concebir las ideas y percibir las imágenes, pide cierta racionalización de la emoción o visión poética, una explicación que no sea demasiado explicativa.

Aquí precisamente es donde entra eso de que habla el marqués de Halifax: «darles a los pensamientos la debida libertad, y no obstante restringirlos con la debida disciplina». El poeta busca el justo medio entre lo irracional y lo racional. Llevada a la práctica, la poesía es siempre una «razón de la sinrazón», o, posiblemente en algunos poetas del siglo XVIII, una «sinrazón de la razón». Poesía es hablar, ya en forma precisa de lo impreciso, ya en forma imprecisa de lo preciso. Es un «entender no entendiendo». Mas no basta el *no entender* (eso es de los ultrabarrocos); lo difícil es que hay que hacer que el lector *no entienda* precisamente eso mismo que *no entiendo yo*. He aquí el álgebra del poeta, según decía Valéry.

Ahora bien: lejos de hacer difícil este equilibrio entre el sueño y la exactitud, las reglas lo facilitan. Recordemos unas palabras que, comentando las reglas, Tomás de Iriarte dirige a un poeta novel: «Lo que es auxilio, juzgas embarazo, / incauto joven» (Fab. LX). Las reglas no sólo facilitan la disciplina esencial para la composición poética, sino que constituyen la única manera posible de llegar a esa disciplina, y digo esto porque —por sorprendente que pueda parecer— las reglas siempre han sido seguidas por todos los poetas, tanto españoles como franceses, tanto románticos como clásicos y neoclásicos, tanto geniales como medianamente buenos. Esto es así porque las reglas no son sino una descripción empírica de los aspectos fundamentales de ese fenómeno psicológico que llamamos proceso creativo, según se ha dado en la mente de todos los poetas desde los primeros bardos de Grecia. La prueba más elocuente de esto es el hecho de que Paul Valéry, Stephen Spender, Juan Ramón Jiménez y otros muchos poetas modernos, al describir su proceso creativo, coinciden en sus observaciones con los preceptos básicos que se vienen repitiendo en todas las artes poéticas desde Aristóteles. Tanto los poetas del siglo XX como los autores de poéticas de todas las épocas previenen contra el uso excesivo de voces anticuadas, afectadas y nuevas, insisten en la necesidad de las repetidas correcciones, subrayan la importancia del pensamiento claro para la composición y la calidad de la poesía, buscan una armonía entre sonido y sentido, reconocen la utilidad de iniciar el proceso creativo en algunos casos con un plan en prosa, etcétera. Hago una comparación detallada entre la preceptiva clásica y la autocrítica moderna en el prólogo, «Sobre la actualidad de las reglas», a mi libro *El rapto de la mente* (1970), y remito a esas páginas.

Es evidente entonces que no son las reglas, sino su nombre, lo que da miedo. No sólo eso; la mayoría de los que hablan en contra de las reglas ni saben lo que son; y semejantes criticastros, como la actriz Pepa González en *La corte de Carlos IV,* de Galdós, «ni hubieran comprendido [...] las reglas, aunque se las predicaran frailes descalzos». Pero, bien mirado no hay casi ningún poeta que no procure que su obra tenga cierta unidad y variedad, que esté libre de palabras imposibles de comprender, que tenga el estilo pulido y se caracterice por una arquitectura armoniosa. Se trata de una inclinación natural en todos los poetas. Incluso Rousseau, uno de los primeros románticos, habla, en su novela *La nouvelle Héloïse,* de «le goût *naturel* de l'ordre» —el gusto *natural* del orden. Incluso en la poesía «beatnik» se observa cierta regularidad en lo ridículo, armonía en lo absurdo y orden en lo obsesivo. No tiene que traducirse el siguiente ejemplo para apreciar las cualidades indicadas.

> My blueberry is blue.
> Blue is my blueberry.
> Blue, blue is my berry.

My berry is blue, blue.
Blue my berry is, blue.
Blue, my berry is, blue.
Blue, is my berry blue?

Debido a este gusto del orden, que es *natural* en el creador, los críticos clásicos y neoclásicos dicen que las reglas nacen de la naturaleza del acto de la composición literaria, de igual modo que nacen de la Madre Naturaleza las leyes que rigen el universo. Aristóteles realizó observaciones sobre los versos de poetas que habían escrito por instinto natural antes que hubiese artes poéticas, de igual modo que los hombres de ciencia son observadores de las fuerzas naturales. Así, desde un principio las reglas son leyes empíricas, no arbitrarias, sino sancionadas por el genio creador, funcionando *naturalmente*. En *Los literatos en cuaresma,* Tomás de Iriarte asevera que «aquellas reglas [...] están fundadas en la razón natural»; y ampliando esta idea en la misma obra, también afirma:

> Aquellas leyes no fueron inventadas, sino *descubiertas;* pues la naturaleza las da de sí; y ni Aristóteles, ni Horacio, ni Lope de Vega, ni Boileau, ni otro maestro alguno hicieron más que exponer con método lo mismo que aprobará cualquiera entendimiento sano.

La aparición aquí del nombre del supuestamente libre, caótico y romántico Lope de Vega, junto con los de Aristóteles, Horacio y Boileau, es al mismo tiempo un persuasivo testimonio de la naturalidad de las reglas y de su universalidad.

Por todo lo antedicho, los poetas del siglo XVIII se sienten unidos con los grandes naturalistas de la época en la tarea común de interpretar la naturaleza, y lo que es más, se sienten unidos a ellos por el mismo procedimiento: la observación. En 1747 el inglés William Guthrie mantiene que «la poesía [...] se levanta ahora sobre los mismos fundamentos que nuestro noble sistema de filosofía newtoniana». Meléndez Valdés, en el poema *A mis libros,* confiesa extasiado: «si tu mente alada, / sublime Newton, / al Olimpo vuela, / raudo te sigo». Y dirigiéndose a otro poeta con no menor arrobo, Meléndez insiste: «Recorre el globo. ¿Al cielo volar quieres? / Trepa, pues. Sonda el mar. La mente activa / cala al abismo de ignorados seres.»

Esta identificación de la teoría y la práctica poéticas con la teoría y la práctica científicas es lo que lleva a lo intelectualmente más noble de la doctrina de las reglas durante el siglo XVIII. En este caso el adjetivo *noble* podría substituirse por *flexible.* Las reglas se habían concebido de modo mucho más estrecho en el siglo del cartesianismo, pues entonces, según Jovellanos, en su *Elogio de las bellas artes:* «El artista buscando la belleza en su idea, girando continuamente dentro de este círculo, se fatigaba en vano sin encontrarla.» Mas el nuevo paralelo dieciochesco entre ciencias experimentales y preceptiva observacional lleva a nuevos *descubrimientos* también en las letras:

> Los poemas, las novelas, las historias y aun las obras filosóficas del día —dice Jovellanos— están llenas de descripciones de objetos y acciones naturales y morales que encantan por su verdad y su gracia y, sobre todo, por la fuerza con que despiertan los sentimientos del corazón (en *Sobre la arquitectura inglesa*).

El infinito seno de la naturaleza sigue revelando cada vez más leyes físicas a los hombres de ciencia, esto es bien sabido; pero en el XVIII se sostiene que esa misma naturaleza podrá ir revelando cada vez más reglas o leyes literarias nuevas a los poetas. Las posibilidades empiezan a mirarse como infinitas. De esto no hay realmente mejor ejemplo que la distinción que Feijoo hace entre las «reglas comunes» y los «nuevos preceptos».

> Puede asegurarse —dice el benedictino— que no llegan ni aun a una razonable medianía todos aquellos genios que se atan escrupulosamente a reglas comunes. Para ningún arte dieron los hombres, ni podían dar jamás tantos preceptos, que el cúmulo de ellos sea comprensivo de cuanto bueno cabe en el arte. La razón es manifiesta, porque son infinitas las combinaciones de casos y circunstancias que piden ya nuevos preceptos, ya distintas modificaciones y limitaciones de los ya establecidos. Quien no alcanza esto, poco alcanza (en «Voces nuevas», *Cartas eruditas*, t. I, 1742).

Se llega por fin a la conclusión de que cada obra poética, además de las reglas comunes, tiene otras tantas que le son exclusivas. Stephen Spender insiste en «la lógica particular de cada obra». A fin de cuentas, las reglas, bien entendidas, aseguran, no quitan la libertad.

Pero hace falta otra reflexión más para relacionar todo esto con una época como el siglo XVIII. Una cosa es que no haya libertad; otra cosa muy diferente es que haya libertad para hacerlo todo, incluso los versos más arrebatadamente románticos, pero que se prefiera no hacer tales versos. También debe haber libertad para escoger la tranquilidad, la madurez, la armonía sencilla y la fe en las ideas. Hay libertad en el siglo XVIII. Nace la libertad política en el XVIII. Pero también nace la libertad del poeta moderno en el XVIII. Cadalso describe «el ardiente pecho / del poeta inspirado», e Iriarte declara que hay cierta clase de poesía que «se funda en pensamientos que sólo el entusiasmo poético sabe sugerir a los pocos que le sienten». El haber tal libertad en el XVIII es lo que prepara la *evolución,* no revolución, romántica. Es natural que el poeta neoclásico prefiera con frecuencia el verso tranquilo, maduro, sencillo, pero él no está en modo alguno determinado por las reglas, sino que gracias al nuevo concepto de éstas goza de una completa libertad de elección entre modalidades poéticas muy diferentes. La mejor prueba de esto la tenemos en el hecho de que los neoclásicos y los primeros románticos son muchas veces los mismísimos señores.

CAPÍTULO III

«Aquel buen tiempo de Garcilaso» y el neoclasicismo

> Más allá la Nereida enternecida
> aun hoy llora la muerte
> del malogrado Garcilaso...
>
> ALBERTO LISTA, *A la muerte de
> don Juan Meléndez Valdés* (1822).

Para la mayoría de los poetas y críticos españoles de los siglos XVI a XIX no fue mejor cualquier tiempo pasado, sino tan sólo el de Garcilaso. Esta continuidad en la añoranza de los valores poéticos del cantor de la hermosa «Flor de Gnido» —incluso a lo largo del periodo barroco— representa una de las mayores de las muchas sorpresas que se le reservan a quien se acerca a la realidad poética española guiándose únicamente por los documentos de época. Esta nostalgia de cuatro siglos de duración es, al mismo tiempo, la piedra angular para la erección de una nueva y más sólida historiografía para el estudio del neoclasicismo. Pues, en efecto, poco a poco, a partir de los últimos años del siglo XVI, va germinando el fenómeno neoclásico, que en España se refiere a la inspiración de los poetas no solamente en los clásicos grecolatinos, sino al mismo tiempo en los clásicos españoles, según ya sabemos por nuestra lección anterior.

No es mi intención hacer en este capítulo una «Fama póstuma de Garcilaso». Esto ya se ha hecho por lo menos dos veces, siendo de Antonio Gallego Morell el ejemplo más reciente de este tipo de antología poética. Algún texto en verso incluido en esas antologías sí lo uso, pero los más importantes documentos que vamos a examinar son pasajes en prosa de los críticos de los siglos XVI a XIX, y mi propósito no es desde luego atestiguar la fama de Garcilaso —cosa que nunca se ha puesto en duda— sino ilustrar y analizar el sorprendente sentido unitario que ha tenido la obra del Príncipe de los Poetas Castellanos como norma para las numerosas generaciones poéticas que a lo largo de casi cuatro centurias se conectan de algún modo con el fenómeno neoclásico. No creo que se dé en la historia de ninguna otra literatura un caso en el que haya perdurado por tan largos años tan profundo y tan unánime acuerdo entre los críticos sobre las cualidades de la buena poesía y sus orígenes.

¿Cómo, pues, ven los españoles de los siglos XVI a XIX el momento que ellos conceptúan por cumbre de la lírica nacional, la época del blando y querido Garcilaso? No es nueva la idea de que el estilo literario se resiente de los cambios históricos; ya Plinio el Joven, en su *Panegyricus dictus Traiano imperatori* (2, 3), observaba que debíase tomar en cuenta la expresión literaria como medida de las alteraciones entre unos tiempos y otros: «Discernatur orationibus nostris diversitas temporum.» Mas pocas veces se crea tan rápidamente y a la vez se pierde tan rápidamente un ideal tan alto como el de la ejemplaridad poética de Garcilaso; mejor dicho, pocas veces se cree haber perdido tan pronto y tan irremisiblemente la realidad correspondiente a un ideal de hecho jamás abandonado. La visión histórica de la poesía española abrazada ya en el quinientos, casi podría resumirse así: Antes y después de Garcilaso, nada. El mismo Garcilaso, en carta a doña Jerónima Palova de Almogavar, escribía lo siguiente sobre la falta de buenos modelos literarios en lengua castellana: «Apenas ha nadie escrito en nuestra lengua, sino lo que se pudiera muy bien excusar.»

En treinta y cinco años escasos de vida forjó Garcilaso un arquetipo de excelencia poética que todavía trescientos años después sería un importante aliciente para los poetas jóvenes. Pero menos de seis años después de la muerte del gran lírico toledano, antes de 1542, por lo menos un español de excepcional gusto, Juan Boscán, ve como ya perdido para la poesía española su mejor tiempo, pues dirige la elegía que escribe para su compañero a «aquel que nuestro tiempo trujo ufano, / el nuestro Garcilaso de la Vega». Y sólo cuarenta y cuatro años después de la muerte de Garcilaso, todavía en pleno Renacimiento, esto es, en 1580, ya se temía que nunca fuera posible hacer otros versos de igual calidad en lengua castellana. En el ya dicho año de 1580, Miguel Sánchez de Lima, en *El arte poética en romance castellano,* reúne varios nombres de poetas para evocar la época de Garcilaso, y luego da principio a su lamentación ante los mejores tiempos que ya se fueron: «Mirad a un Petrarca, Boscán, Montemayor y Garcilaso de la Vega [...]; esos fueron en el tiempo en que la Poesía era verdaderamente Poesía.» Algunas páginas después, al reiterar esta idea, Sánchez de Lima subraya la ineluctabilidad de esa pérdida, y se le vuelve elegiaco el tono de sus palabras: «Así que lo que desto siento es, que la buena y verdadera Poesía es pasada con aquel buen tiempo.» Incluso parece apuntar aquí la fraseología del neoclasicismo dieciochesco, pues dos siglos más tarde los poetas y críticos casi a una llamarían a los tiempos de Garcilaso «aquel buen siglo», como ya veremos.

En el mismo año de 1580, en sus *Anotaciones* al verso de Garcilaso, también Fernando de Herrera descubre su impresión de que ya se ha perdido o por lo menos muy pronto se perderá la mayor gloria de la poesía española. Por eso quiere darles a sus compatriotas un Garcilaso depurado y explicado con toda la «erudición» filológica posible en su época; y aunque

> está desnuda nuestra habla del conocimiento de esta disciplina, no por eso temo romper por todas estas dificultades, osando abrir el camino a los que sucedieren, para que no se pierda la poesía española en la oscuridad de la ignorancia.

Además de la idea de la pérdida, son notables otros dos aspectos de este pasaje, los cuales tienen en común el ser anticipos de rasgos esenciales de los movimientos poéticos de los siglos XVII y en especial XVIII. Está implícita en las palabras de Herrera la idea de la restauración. Se preocupa por los sucesores de Garcilaso, por quienes, emulando al gran modelo, podrán quizá dar origen a una nueva época de valores garcilasianos, una época, diríamos hoy, neoclásica. He aquí a la vez la primera ocasión en que se acusa en la historia de la lírica española esa tendencia neoclásica híbrida que será cada vez más típica: es decir, la recomendación de modelos clásicos nacionales que han imitado a clásicos de la antigüedad; en este caso, Garcilaso, cuyas fuentes clásicas antiguas están estudiadas con mucha extensión por Herrera. Fijémonos también en la actitud heroica del reformador poético Herrera, quien no teme «romper por todas estas dificultades, osando abrir el camino a los que sucederen». Justamente en el mismo tono de esforzado adalid se expresarán los críticos de ese nuevo Renacimiento dieciochesco que es la Ilustración.

En los poetas y críticos del siglo XVII se evidencia la misma conciencia de la diversidad de los tiempos que hemos visto en Boscán, Sánchez de Lima y Herrera. En un siglo como el barroco en el que se irá acusando una preocupación constante por la innovación estilística, no sorprende desde luego que alguno de los poetas y críticos prefiera no ver su propia época como inferior, mas incluso en estos casos la superioridad de Garcilaso como modelo nunca se pone en duda. Así, Bartolomé Jiménez Patón, en su *Elocuencia española en arte,* de 1604, elogia los

> versos del famoso toledano Garcilaso de cuya elegancia en decir con razón los buenos ingenios se admiran, pues escribió tantos años ha en la perfección que hoy se puede escribir.

En la *España defendida,* de Quevedo, escrita en 1609, se pregunta: «¿Qué Horacio, ni Propercio, ni Tíbulo, ni Cornelio Galo, excedió a Garcilaso y Boscán?» En 1611, en su conocido *Libro de la erudición poética,* don Luis Carrillo y Sotomayor recuerda a sus lectores que

> no faltaron en nuestra España ánimos, que [...] con felicidad notable aspiraron a igualarnos con los mayores poetas pasados y venideros. Entre éstos, dichosísimamente nuestro Garcilaso excedió las esperanzas de los italianos [...], y a los nuestros abrió camino, para presumir de tan dichosa osadía frutos tan colmados como los suyos.

Aquí se manifiesta la idea de la pérdida irrevocable en forma más sutil: fue en un tiempo pasado, definido por los verbos en pretérito, en el que la osadía de un gran poeta español nos permitió emular a los mayores poetas que ostenta y podrá ostentar el mundo; es decir, nuestra potencialidad futura hay que buscarla en nuestro pasado, modo indirecto de proponer una restauración neoclásica.

Para 1620, según testimonio de Lope de Vega, la

idea de la pérdida y el ya señalado interés por la restauración se van convirtiendo en una activa voluntad de vuelta a los valores estilísticos del quinientos. En la Introducción a la *Justa poética al bienaventurado San Isidro* (Madrid, 1620), Lope escribe: «Trabajan mucho algunos por volver al pasado siglo nuestra lengua.» He aquí otro claro indicio de la larga tendencia neoclásica que poco a poco sigue configurándose aun en medio del siglo de Góngora. Es más: el próximo testigo a quien voy a citar ya llama «clásicos» a los poetas de la época de Garcilaso; y «volver» a lo clásico es ser neoclásico.

Me refiero al *Panegírico por la poesía,* en el que, en 1627, año de la muerte de Góngora, el autor (posiblemente Fernando de Vera y Mendoza) anima a sus contemporáneos tomando nota «de los que mejor imitan a Garcilaso», así como de aquellos otros de la era anterior a quienes él ya llama «clásicos». (Sobre lo «clásico» y el *Panegírico,* véase también el capítulo II.) En el mismo año de 1627, otro de los críticos que no quieren rebajar su propio tiempo, Alonso Jerónimo de Salas Barbadillo, escribe, en *La estafeta del dios Momo:* «Garcilaso fue excelente poeta lírico y bucólico y dio en aquel siglo rudo, como prodigio de la naturaleza, fruto vestido de flores, que hoy admira y suspende.» Nótese aquí como excepción que prueba la regla la frase «aquel siglo rudo». Mas la idea del quinientos que se mantendrá entre los seguidores de la tradición clásica nacional, en oposición a los que abrazaron el nuevo estilo «peregrino», es la ya expresada por Sánchez de Lima en 1580, la cual se reafirmará todavía setenta y cinco años después al salir a luz, en 1655, la célebre obra póstuma de Saavedra Fajardo, *República literaria,* en la que se lee:

Ya en tiempos más cultos escribió Garcilaso, y con la fuerza de su ingenio y natural, y la comunicación de los extranjeros, puso en un grado muy levantado la poesía. Fue Príncipe de la Lírica, y con dulzura, gravedad y maravillosa pureza de voces descubrió los sentimientos del alma.

Quisiera destacar que aquí no sólo se refleja esa ya vieja añoranza del buen tiempo de Garcilaso, sino que también la terminología utilizada por Saavedra en su apreciación del estilo del gran lírico —*ingenio, dulzura, gravedad, pureza, sentimientos del alma*—, así como su insistencia en el cosmopolitismo del poeta toledano, parecen formar un presagio de la crítica setecentista; pues usando los mismos términos exactamente, Luzán y sus contemporáneos distinguirán los mismos atractivos en el estilo garcilasiano. Tres años después de darse a conocer la *República literaria,* en 1658, se estampaba en Lyon (Francia) la última edición que habían de tener las poesías de Garcilaso hasta la de Madrid de 1765.

No por escasear los ejemplares, sin embargo, ni aun en plena época ultrabarroca, dejarían de leer el verso de Garcilaso los pocos amigos de la verdadera poesía que seguía habiendo. Entre 1685 y 1704, en unos versos mucho más sencillos que los que solían componerse en esa época, caracterizada por lo que los críticos posteriores llamarían un estilo de rosicleres y sonoras inutilidades, Francisco Antonio de Bances Candamo vuelve a añorar el Parnaso castellano tal como existía en los días de Garcilaso. En su poema *Descripción y viaje del Tajo,* Bances se dirige al río y alude a la lira o cítara de Garcilaso:

> Allá pende de un sauce en la ribera
> suavísima reliquia lisonjera
> de Garcilaso, que en tu orilla solo
> o su oráculo fue, o el mismo Apolo.
> Faltó el dulce pastor de estos contornos,
> tierno Salicio, heroico Garcilaso,

por quien, tal vez, dejaron del Parnaso
　　　la cerviz eminente,
　　·　que hoy hollarse de bárbaros consiente,
　　　las Piérides santas.

Son menos frecuentes las alusiones a Garcilaso en los últimos decenios del siglo XVII, mas se defiende todavía el ideal del estilo clásico sencillo en obras como *El hombre práctico* (1680 ó 1684), de Francisco Gutiérrez de los Ríos y Córdoba, tercer conde de Fernán Núñez, y el *Epítome de la elocuencia española* (1692), de Francisco José Artiga, y se recomienda de vez en cuando la lectura de algún otro poeta de estilo clásico puro como los Argensolas. En todo caso, de lo que no cabe duda es que incontables españoles de ambos siglos áureos, habrían abrazado como suyas las siguientes palabras de Juan Boscán en los prolegómenos del libro II de las *Obras de Boscán y algunas de Garcilaso de la Vega* (Barcelona, 1543): «Garcilaso [...], no solamente en mi opinión, mas en la de todo el mundo, ha sido tenido por regla cierta.» Quiere decirse que en realidad todo lo que había que saber de teoría poética estaba contenido en los mismos versos de este modelo máximo; idea que se repetirá en Cadalso y otros neoclásicos.

En las alusiones dieciochescas a Garcilaso, se expresan en tono menos desesperanzado la idea de la pérdida y la nostalgia, no porque se estime menos al Príncipe de los Poetas Castellanos —pues en realidad su reputación sigue en aumento—, sino porque la sensación de la falta no es posible ya experimentarla en forma tan inmediata y personal, y porque a la vez alienta ya en muchos españoles un nuevo optimismo, la convicción de que podrán de hecho efectuar una vuelta a muchos valores y técnicas de la poesía clásica española. Por tanto, aquel buen tiempo de Garcilaso continúa siendo la norma máxima, no ya únicamente para juzgar toda la poesía nacional, sino también para emprender en forma activa su reforma total. Tanto es esto así, y tan excluida de toda consideración como norma queda la poesía de cualquier otra época, que los poetas y críticos del setecientos se ponen casi todos de acuerdo en usar el calificativo utilizado por Sánchez de Lima en 1580 —«bueno»—; pues no habiendo ningún otro siglo comparable por su calidad poética al decimosexto, no hacen falta los superlativos, y en tal situación el simple adjetivo positivo tiene aún más fuerza que un superlativo. La sencillez de tal calificativo parece, por lo demás, resumir toda la naturalidad y pureza que los lectores setecentistas encontraban tan atractivas en la poesía clásica nacional. Otro aspecto en el que las referencias dieciochescas a aquel buen siglo clásico difieren de las del siglo XVII es que se hará usual mencionar, junto con Garcilaso, a algún otro poeta representativo de la perfección poética quinientista, especialmente a fray Luis de León, y aun se incluirá en tales alusiones elogiosas a varios poetas puros y sencillos del siglo XVII, como los Argensolas y Villegas.

En 1726 el barroco representa todavía una influencia muy fuerte, y así al evocar Feijoo a Garcilaso en ese año, en el tomo I del *Teatro crítico,* no sorprende que una al nombre del Príncipe de la Poesía los de varios poetas del siglo XVII. En el «Paralelo de las lenguas castellana y francesa», lleno de orgullo y cordial añoranza, Feijoo escribe:

> En los asuntos poéticos, ninguno hay que las musas no hayan cantado con alta melodía en la lengua castellana. Garcilaso, Lope de Vega, Góngora, Quevedo, Mendoza, Solís y otros muchos, fueron cisnes sin vestirse de plumas extranjeras.

Al año siguiente de la aparición del tomo I del *Teatro crítico,* Mayans da a luz su *Oración en que se ex-*

horta a seguir la verdadera idea de la elocuencia española (Valencia, 1727), en cuya obra propone la rehabilitación de la prosa oratoria española, pero lo que más interesa es que emprende esta reforma, en la misma forma en que ciertos contemporáneos suyos abordarán la reforma de la poesía, esto es, recomendando modelos que son principalmente del siglo XVI —fray Luis de Granada, fray Melchor Cano, fray Diego Yepes, el padre Pedro de Ribadeneira, etc.— y usando con sus lectores un tono en el que la nostalgia y la admiración vencen a la reprensión.

> Pues ¿qué hacéis, señores —pregunta Mayans—, que no seguís aquellas venerables pisadas que para memoria eterna de su admirable sabiduría nos han dejado impresas los más elocuentes españoles?

Como si dijéramos, en el contexto de la poesía, los más clásicos españoles. Es más: aparece a la vez en esta obra del Mayans joven sobre la reforma de la prosa, un rasgo que es esencial también al neoclasicismo en la poesía: el ya mencionado hibridismo por lo que se refiere a los modelos, ya antiguos, ya nacionales. Mayans no recomienda sino modelos quinientistas de elocuencia prosaica en los que se descubren las huellas de los antiguos a quienes esos ejemplares españoles imitaron en su día: así Fernán Pérez de Oliva le recuerda a Cicerón, Diego Hurtado de Mendoza a Julio César, fray Diego Yepes a Cornelio Nepote, Florián Ocampo a Estrabón, etc. Es decir, que las verdaderas reglas están en los mismos textos de los grandes prosistas, como también se afirmaba con respecto a Garcilaso.

Luzán expresa nostalgia no tan sólo ante lo que Garcilaso fue, sino ante todo lo que pudo haber sido si no hubiese muerto tan joven. Y lamentando que por esta causa España no haya tenido su poeta, Luzán en realidad viene a afirmar que sí lo ha tenido, porque nunca se le ocurre que pueda rivalizar con el Garcilaso sólo parcialmente logrado ninguno de los demás poetas españoles, por mucho que hayan vivido y escrito.

> Garcilaso de la Vega —dice— [...] se remontó más que todos y mereció ser llamado el Príncipe de la Lírica Española. ¡Así su arrebatada muerte no hubiera cortado a lo mejor las justas esperanzas que de tan elevado y feliz ingenio se habían concebido! Hoy día tendría España su poeta, y él solo compensaría abundantemente las faltas de otros muchos.

Queda claro por todos los documentos ya considerados que aun muerto tan a deshora Garcilaso, en efecto, compensaba completamente tales faltas para muchos españoles. Para Luzán son «los padres de nuestra versificación moderna, Boscán y Garcilaso», y otro modelo sumamente recomendable, citado a menudo en la *Poética,* es el «célebre y excelente poeta fray Luis de León». Finalmente, se oye un claro eco de la frase «aquel buen tiempo» de Sánchez de Lima, en la luzanesca para el siglo XVI, «aquel buen siglo», que se halla utilizada más de una vez en la *Poética.* (Observemos, entre paréntesis, que los decenios tercero y cuarto del siglo XVIII, de los que estamos hablando ahora, representan el momento en que dentro de la larga y amplia *tendencia* neoclásica empieza a tomar forma el *movimiento* neoclásico propiamente dicho.)

El contertulio de Luzán en la Academia del Buen Gusto y fiscal de la misma, José Antonio Porcel, es autor de un inédito *Juicio lunático* (sobre diversos poemas), en el que narra un viaje que entre sueños hizo a la Península de las Fantasías, donde los poetas de cada nación tienen su Academia; y el «Presidente» de la española, compuesta de los mejores poetas clásicos y modernos de esa nación, es desde luego su Príncipe, Garcilaso de la Vega. La nostalgia de Porcel por aquel mejor tiempo para la poesía toma la forma de una sentida queja sobre todas aquellas excelentes obras en verso que por la ignorancia de algunos y la «indiscreta desconfianza» de otros nunca llegaron a estamparse; pues en la «Biblioteca de todas las Obras Poéticas de los Españoles» que había en la Península de las Fantasías, «era mucho más y mejor lo manuscrito e inédito, que lo que había fatigado las prensas», y concluye el adolorido admirador de Garcilaso, Porcel: «¡Pero ésta es la fatalidad lamentada siempre y evitada nunca de la España!»

Para el también tertuliano del Buen Gusto, Luis José Velázquez, marqués de Valdeflores, «Garcilaso de la Vega [...] con razón es tenido por el Príncipe de la Poesía Castellana». En la página siguiente de los *Orígenes de la poesía castellana* (1754), Velázquez escribe: «Se puede decir que Garcilaso es el Patriarca de la Poesía Castellana.» No menos entusiasta se descubre Velázquez ante el siglo XVI en general que ante su Príncipe poético, y con este motivo reaparece en él una vez más esa por lo modesta elocuentísima adjetivación: «bueno». Juan de la Encina es «el último poeta» del siglo XV, y así en él «la *buena* poesía daba muestras de querer manifestar su vigor». (Aquí, igual que en todas las páginas que siguen, el subrayado del adjetivo *bueno* es mío.) Sobre la égloga, observa Velázquez lo siguiente en un capítulo posterior:

> Esta especie de poesía nació entre nosotros en el *buen* siglo, la debemos a Boscán, Garcilaso y D. Diego de Mendoza, que fueron los primeros que empezaron a usarla con arte.

Refiriéndose todavía al siglo XVI con su propia designación cronológica, Velázquez insiste: «Esta tercera edad fue el Siglo de Oro de la poesía castellana; siglo en que no podía dejar de florecer la *buena* poesía.» Nótese en este pasaje que el Siglo de Oro para los españoles del setecientos es el XVI, y sólo el XVI. Con Velázquez, ya queda claro también que para los españoles setecentistas, otro poeta del siglo XVI cobrará casi tanta importancia como Garcilaso, pues no habría que olvidar a «fray Luis de León, a quien no sólo nuestra lengua, sino también nuestra poesía debe en gran parte la altura a que llegó en esta edad». Se mezcla la añoranza al orgullo patriótico cuando el marqués de Valdeflores describe una frustrada *Colección de las poesías castellanas selectas desde el origen de nuestra poesía hasta el tiempo presente* que él esperaba publicar en los años 50 del siglo XVIII. «Será conocido —dice— el mérito de muchos poetas nuestros de que casi no había memoria.»

En su *Compendio del arte poética* (1757), el padre Antonio Burriel recomienda que los poetas jóvenes sigan para el soneto la técnica que es «tan visible en muchos sonetos de Garcilaso, Boscán, Argensolas y otros». En las evocaciones nostálgicas de la poesía del buen siglo el papel de símbolo principal pertenece a Garcilaso, pero el primer gran poeta de aquel siglo en reeditarse durante el setecientos es fray Luis de León, en cuyas poesías su editor de 1761, Gregorio Mayans y Siscar, ve «las que más ennoblecen la lengua española». Para Mayans el maestro León es a la vez objeto de la misma emocionada añoranza con que se venía recordando a Garcilaso.

> Y pluguiese a Dios —escribe conmovido Mayans— que reinase esta sola poesía en nuestros oídos, y que sólo este cantar nos fuese dulce, y que en las calles y las plazas de noche no sonasen otros cantares, y que en esto soltase la lengua el niño, y la doncella recogida se solazase con esto, y el oficial que trabaja aliviase su trabajo.

La dificultad de hallar los textos necesarios para so-
lazarse con tan dulces lecturas es una de las causas de
la emoción que se siente ante los poetas quinientistas
durante el XVIII. En 1764, un año antes de reeditarse
la obra de Garcilaso en la Imprenta Real, en el prólogo a *El poeta,* Nicolás Fernández de Moratín manifiesta cierta tierna ironía histórica al escribir:

> No niego que tenemos poetas castellanos excelentes, que
> se pueden contraponer a los más dulces, no sólo de Italia
> y Francia, pero de la antigua Roma y Grecia. Mas también
> es cierto que se han perdido las impresiones, y que hay ra-
> rísimos ejemplares, aunque algunos se hallan a fuerza de
> diligencias y dinero; lo que me hace acordar con envidia de
> aquellos versos de Lope que dicen: «Las obras de Boscán y
> Garcilaso / se venden por dos reales.»

Parece apropiado que en su prólogo a la nueva edición de Garcilaso, de 1765, José Nicolás de Azara vuel-
va a delimitar en forma estricta el periodo literario
fijado primeramente por Sánchez de Lima y aludido
a lo largo de estas consideraciones. Azara comenta con
el mayor entusiasmo la situación literaria de España
durante la primera mitad del siglo XVI y traza un paralelo entre política y bellas letras que ya era frecuente en los críticos de la centuria decimoctava. Azara,
en fin, exclama:

> ¡Qué tropel de escritores no produjo España al tiempo
> mismo que Carlos V tenía asustada toda la Europa con sus
> armas! Bajo Felipe II hubo muchos más; pero éstos eran
> fruto de las labores de su padre y bisabuelos. No es mi áni-
> mo hacer aquí un catálogo de nuestros escritores de aquel
> tiempo, ni necesitan más elogios que los de sus obras.

Por si hubiera alguna duda, demarca Azara de tres
maneras diferentes la época de que se trata: 1) con la
oración exclamativa inicial sobre Carlos V; 2) consi-

derando a los mejores literatos del reinado de Felipe II como hijos espirituales del reinado anterior; y, por fin, 3) reaparece aquí también la frase clave «aquel tiempo» que hemos visto tantas veces antes. La última frase citada —«ni necesitan más elogios que los de sus obras»— ofrece una curiosa variante de la idea clásica y neoclásica de que el solo texto de un poeta excelente contiene toda la poética de la lírica: ese texto, por su extraordinaria calidad, contiene a la par en sí mismo la única apología adecuada que se le podría hacer, pues ¡qué términos hay más aptos para calificarlo que aquellos que ya se hallan en él!

Quien lee con atención *Los eruditos a la violeta* (1772), de Cadalso, se da cuenta de que no todo lo dicho en esa obra tiene finalidad paródica, por ejemplo, cuando el maestro de los «violetos» les da el siguiente consejo sobre sus conversaciones acerca de la poesía: «Alabad la dulzura de Garcilaso.» Sirviéndose del adjetivo clave, Cadalso afirma en la misma obra que «nuestra *buena* poesía» es la que nace con Garcilaso y otros poetas influidos por los italianos. En un contexto histórico como el que se nos va perfilando en el setecientos, no sorprende que incluso se le ocurra a algún aficionado al verso garcilasiano la idea de la resurrección del Príncipe de los Poetas Castellanos, sobre todo si ese aficionado es un Cadalso, quien en sus *Cartas marruecas* resucita en forma intrahistórica a otras grandes figuras castellanas, y hasta habla de la transmigración espiritual de los estilos literarios. Pero concretamente aludo a la siguiente octava que Dalmiro dedica a su querido discípulo Batilo:

> Cuando Laso murió, las nueve hermanas
> Lloraron con tristísimo gemido;
> Destemplaron sus liras soberanas,
> Que sólo daban lúgubre sonido...
> Gimieron más las musas castellanas,

> Temiéndose entregadas al olvido;
> Mas Febo dijo: «Aliéntese el Parnaso;
> Meléndez nacerá, si murió Laso.»

Por la reacción de las musas castellanas en esta octava: «Temiéndose entregadas al olvido», se reitera a la vez la idea de Sánchez de Lima de que «la buena y verdadera Poesía es pasada con aquel buen tiempo».

En 1779, Jovellanos compone la carta-dedicatoria de sus versos, que dedica a su hermano Francisco de Paula; y en esas líneas el gran gijonés, como Cadalso, maestro de poetas jóvenes, torna a sostener que el resplandeciente día de la poesía española se dio en el quinientos:

> Antes que se acabase el dorado siglo XVI había ya producido España muchos épicos, líricos y dramáticos comparables a los más célebres de la antigüedad. Casi se puede decir que estos bellos días anochecieron con el siglo XVI.

Nótese de paso el uso del calificado *dorado:* «el dorado siglo XVI»; pero más importante es el paralelo que sugiere Jovellanos entre los clásicos antiguos y los clásicos españoles del Siglo de Oro, comparación relacionada con las híbridas fuentes de lo neoclásico de las que ya hablamos en la última lección y que veremos repetirse una y otra vez. En el tomo III de la versión española de la famosa obra del abate Juan Andrés, *Origen, progresos y estado actual de toda la literatura,* que se empezó a editar en la Imprenta de Sancha en 1784, se encuentra una curiosa y muy entusiasta variante de la reflexión de Luzán sobre el efecto de la temprana muerte de Garcilaso en su fama y su ‘papel histórico. Su desaparición a deshora no amenazó en modo alguno su Principado de la Poesía Castellana, y con algunos años más habría sido príncipe también de la poesía universal.

Garcilaso es tenido por el Príncipe de la Poesía Española —escribe el abate Andrés—; y tal vez lo hubiera sido de toda la poesía, si una muerte prematura no le hubiera arrebatado en lo más florido de su edad.

En el tomo siguiente de la misma obra, Juan Andrés une su voto al unánime de sus contemporáneos sobre la cuestión de cuál es el mejor de todos los tiempos para la lírica española:

en los tiempos del restablecimiento de la lengua y poesía española a principios del siglo decimosexto —exclama—, ¡de cuántos y cuán excelentes líricos no puede gloriarse la España! (El restablecimiento es una de las actitudes que el siglo XVIII cree tener en común con el XVI. Es más: son restablecimientos en cada caso de índole clásica.)

Reaparece el adjetivo *bueno* en 1786 en el prólogo que Pedro Estala pone a su edición de las *Rimas del secretario Lupercio Leonardo de Argensola*. Estala busca una solución al problema de los malos modelos y la ignorancia de quienes pretenden hacer versos con arte.

«Para remediar este daño —razona— no hay medio más a propósito que hacer comunes, con repetidas ediciones, los excelentes modelos de *buena* poesía en que abundó nuestra nación en el siglo XVI y principios del siguiente.

Al distinguir después entre las prosas rimadas y la verdadera poesía, Estala alude una vez más a «los *buenos* poetas de nuestro Siglo de Oro». En *La derrota de los pedantes* (1789), de Leandro Fernández de Moratín, Apolo hace la siguiente observación sobre el Siglo de Oro, según se llamaba por antonomasia al XVI: «Los grandes hombres que ha producido España, entonces los produjo. Las obras de mérito que tiene la nación, entonces se escribieron.» Para M. A. Rodríguez Fernández, en el «Discurso» de 1799 que antepone a su versión de los *Idilios* de Gessner, no cabe la menor duda de que

> mientras los grandes poetas del siglo XVI hicieron cantar noblemente a las musas castellanas, ninguna nación de Europa presumió igualarse a la española.

Quintana, en 1807, expresa su añoranza de la buena poesía del siglo XVI con una fraseología que evoca a la vez la encantadora sencillez de las descripciones garcilasianas de la naturaleza. Se refiere a la poesía culta en su primera edad: «En su juventud tierna le bastaron para adorno las flores del campo con que la había engalanado Garcilaso.» Incluso aquí donde el crítico se expresa en forma metafórica, queda muy claro que no se trata sencillamente de admiración por Garcilaso como poeta individual, sino de una valoración muy positiva de toda esa época (la «juventud más tierna» de la poesía castellana) de la que el toledano es el máximo exponente.

En quienes escriben después de 1808, sigue tan viva como siempre la cordial añoranza de aquella feliz primavera de la poesía castellana: en efecto, parece a veces intensificarse la emoción con que se recuerda el buen siglo XVI, no sólo en los neoclásicos tardíos, sino en los mismos románticos, quienes también invocarán a Garcilaso y le citarán como modelo y musa. En una curiosa *Carta de A[ntonio], A[lcalá], G[aliano], a su amigo el editor de la Crónica,* de 1818, reeditada por Guillermo Carnero, reaparecen las mismas ideas y palabras con que se venía recordando el tiempo de Garcilaso durante los dos siglos anteriores. Pues Galiano explica cómo «se remontó la poesía castellana a la altura en que la mantuvieron nuestros *buenos* líricos del siglo XVI». En el ochocientos igual que en el setecientos, fray Luis de León sale a veces a primer término a relevar a Garcilaso como símbolo del buen siglo al que contribuyeron tanto los dos.

> Vengamos ya a nuestros escritores *clásicos* —decía Alberto Lista en sus lecciones de literatura española, en el primer Ateneo de Madrid, en 1822-1823—; y demos entre ellos un lugar preeminente al grande Luis de León.

En el *Discurso sobre la importancia de nuestra historia literaria* que el mismo gran estudioso de las letras castellanas leyó ante la Real Academia de la Historia en mayo de 1828, se caracteriza al siglo XVI en la historia de España como el «periodo de su mayor gloria y esplendor», y algunas líneas más abajo se lee:

> Servimos de modelo a las demás naciones, que eran ignorantes y bárbaras, excepto la Italia cuando nosotros teníamos un siglo sabio y producciones admirables que lo embellecieron.

Mas dejemos ya este discurso académico de un neoclásico, y pasemos a otro de un romántico, leído en la Real Academia Española la tarde del 29 de octubre de 1834. Me refiero al duque de Rivas, quien con las más sentidas palabras cuenta cómo durante su largo destierro de once años alivió su pena recitando a Garcilaso y otros clásicos españoles del buen siglo:

> ¡Cuántas veces bajo los gigantescos árboles de los bosques de Kensington, en medio del borrascoso Mar Cantábrico, en las verdes aguas del Mediterráneo, entre los risueños riscos de Piombino y de Montenovo, sobre los dorados escollos de Malta, al través de las deliciosas islas del Mar Egeo, en las apacibles márgenes del Loira, y en los simétricos jardines de Versalles, he hecho resonar al ambiente con una estancia de Garcilaso, con un soneto de Lope, con una quintilla de Gil Polo, con un sabroso párrafo de Cervantes!

En el mismo año de 1834, Martínez de la Rosa publica en París una nueva edición de su *Poética* (1727), entre cuyas anotaciones se incluye un resumen histórico de los adelantamientos de la lengua literaria española en sus diferentes épocas, y el famoso político y poeta expresa su nostalgia por el buen siglo, por su bella lengua sencilla y por su estilo poético:

> Por lo que hicieron en ella Garcilaso y Herrera, puede conjeturarse lo que habría sido el habla castellana, si hubieran tenido aquellos célebres poetas muchos dignos imitadores. Mas el reinado floreciente del habla pasó casi con el del buen gusto, contando de vida poco más de un siglo.

Desde luego el periodo en el que los poetas se esfuerzan más por imitar a sus antecesores renacentistas es el siglo XVIII, que quería ser un nuevo siglo XVI. Mas también algún romántico une su admiración por el siglo XVI al orgullo que le causan los grandes logros literarios de su propio momento histórico, y reaparece la voluntad de inaugurar en su tiempo un nuevo siglo XVI, pero en relación no ya con el siglo XVIII, sino con el XIX.

> Téngase presente que ya grandes ingenios han inmortalizado el siglo en que vivimos —escribe Eugenio de Ochoa en el tomo I de *El Artista*, en 1835—, y que esta época [...] será para nuestros descendientes lo que es el siglo XVI para nosotros.

Bajo la superficie alienta aún el neoclasicismo en el movimiento romántico, al que dio nacimiento por la evolución, según sostengo yo.

Es muy curioso el hecho de que uno de los románticos más exaltados invoque al clásico Príncipe de los Poetas Castellanos como si fuera su musa personal, esperando emular en sus propios versos el hechizo de los de su adorado modelo. Me refiero a Zorrilla, y es curioso también que la palabra que él usa para hechizo —*dulzura*— sea un término técnico de la poética dieciochesca. En fin, en la dedicatoria de *Granada. Poema oriental* (París, 1852), Zorrilla contempla un retrato de Garcilaso e implora:

> Y tú, dulce y amante Garcilaso,
> [...]
> tú que entre miel y ámbar a tu paso
> sembraste versos que brotaron flores,
> ve si a los míos tu dulzura inspiras
> desde ese marco en que tenaz me miras.

La nostálgica admiración de Zorilla por Garcilaso y otros poetas que él considera relacionados, le lleva también a hacer algún juicio literario que nos sorprendería si hubiéramos de guiarnos por conceptos simplistas vulgares del clasicismo y romanticismo. En *México y los mexicanos,* que forma la última parte de *La flor de los recuerdos* (México, 1855-1857), Zorilla repasa las obras de los más afamados y talentosos poetas mejicanos hasta esa fecha, incluyendo la siguiente observación sobre los modelos de Luis G. Ortiz: «Su sano instinto le ha hecho comprender que Garcilaso, Rioja y Meléndez eran mejores maestros que Espronceda y que Víctor Hugo.» Pese a las impresiones usuales, no es excepcional en un romántico tan hondo entusiasmo ante los clásicos y los neoclásicos. En el vecino país de Portugal el romántico Almeida Garrett felicita a un poeta joven por haber escogido como modelo la obra de un poeta quinientista: «Tu, na difficil mas segura estrada / Que o nosso *bom* Ferreira nos trilhára, / Corres...» Nótese la adjetivación en este texto portugués: «nuestro *buen* Ferreira» y que se aplica a un poeta del siglo XVI: Antonio Ferreira (1523-1598). Y un olvidado poeta y crítico español de la época romántica se inflama románticamente ante el verso de un discípulo neoclásico de los «buenos» poetas clásicos: Meléndez Valdés es para Mariano de Rementería «un poeta por quien francamente confesamos que nos sentimos apasionados» (*Conferencias gramaticales,* Madrid, 1843).

Concluyamos con un comentario debido al único poeta decimonónico que por todo el mundo hispánico ha venido a ser tan estimado como el mismo Garcilaso: Bécquer. En un artículo titulado «Enterramientos de Garcilaso de la Vega y su padre», inserto en *La Ilustración de Madrid* el 27 de febrero de 1870, durante el último año de su vida, Gustavo Adolfo utiliza una figura —la de la personificación— que no obstante estar implícita en muchos de los pasajes en que los poetas y críticos hablan de la ejemplaridad de Garcilaso respecto de su siglo, todavía no había llegado a emplearse directamente. Distinguiendo entre el Príncipe lírico y su padre, según quedan representados en sus estatutas sepulcrales en el Convento de San Pedro Mártir, en Toledo, Bécquer escribe con romántico arrobo:

> Y aquel otro más alto y joven, a cuyos pies murmura aún sus rezos una mujer hermosa, ése, proseguí pensando, ése es el que cantó *el dulce lamentar de dos pastores,* tipo completo del siglo más brillante de nuestra historia. ¡Oh! ¡Qué hermoso sueño de oro su vida! ¡Personificar en sí una época de poesía y combates, nacer grande y noble por la sangre heredada, añadir a los de sus mayores los propios merecimientos, cantar el amor y la belleza en un nuevo estilo y metro, y como más tarde Cervantes y Ercilla, y Lope y Calderón, y tantos otros, ser soldado y poeta, manejar la espada y la pluma, ser la acción y la idea, y morir luchando para descansar envuelto en los jirones de su bandera y ceñido del laurel de la poesía, a la sombra de la religión, en el ángulo de un templo!

Se aplica un nuevo adjetivo a esa centuria máxima de la poesía española que Garcilaso personifica: *brillante:* «el siglo más brillante», dice Bécquer. Lo que para Garcilaso fue vida, cualquier otro de menos talento sólo puede verlo como un «hermoso sueño de oro». Pues, siendo «tipo completo», esto es, un hombre universal, el gran lírico toledano exhibe compendiado en su sola persona todo cuanto dio al quinientos su envidiable gloria.

En su grandeza, su nobleza, sus merecimientos y su originalidad como poeta, Garcilaso se anticipó y sobrepasó a todos los demás líricos del Siglo de Oro, y aun a todos los posteriores hasta la aparición del mismo Bécquer, añadiría yo. En su hermoso pasaje panegírico sobre el Príncipe de los Poetas Castellanos, Bécquer, que hace siempre tan finas distinciones críticas, nos descubre la gran fuerza de ejemplaridad que convirtió a Garcilaso y, junto con él, a todo su siglo en modelos indispensables para todos los poetas que aspirarían a la sencillez clásica durante los tres próximos siglos. Dice Bécquer que al personificar su brillante época, Garcilaso ha llegado a «ser la acción y la idea». Ahora bien: ser la acción y la idea, reunirlas, es ser portavoz de la misma esencia de lo poético, porque la poesía es un puente tendido entre el mundo real («la acción») y el mundo espiritual («la idea»). Esto lo dice Bécquer en numerosos lugares, notablemente al final de su rima V:

> Yo soy el invisible
> anillo que sujeta
> el mundo de la forma
> al mundo de la idea.
>
> Yo, en fin, soy ese espíritu,
> desconocida esencia,
> perfume misterioso
> de que es vaso el poeta.

Mas de este principio poético tan frecuente en él nunca encontró Bécquer mejor símbolo, mejor «vaso», que Garcilaso. He aquí entonces la ejemplaridad de Garcilaso: es su capacidad de encarnar para tantos poetas la misma esencia de la poesía. La larga tendencia neoclásica española empezó con el poeta que fue no sólo el maestro sino el dolorido sobreviviente de Garcilaso: Boscán. Y es lógico que dicha tendencia tenga uno de sus postreros ecos en el posromántico Bécquer, pues no hay que olvidar la admiración juvenil del poeta de las *Rimas* por Alberto Lista, no hay que olvidar sus imitaciones del verso neoclásico de Meléndez Valdés y Quintana, y no hay que olvidar que fue un dedicado estudioso de poetas de la antigüedad como Horacio a la vez que admirador de Garcilaso, lo cual será reflejo lejano de las híbridas fuentes de los neoclásicos. Tampoco es posible descontar la posibilidad de que la calidad garcilasiana más imitada durante el setecientos, la capacidad de suscitar emociones tiernas en el lector —«la dulzura», según la llamaban Luzán y los críticos de su siglo— haya influido sobre Bécquer a través de sus primeros estudios poéticos, dando nacimiento en último término a la delicadeza psicológica de las *Rimas*. Lo cierto es que Bécquer, con todas las diferencias que se quiera mencionar, continúa a su modo esa clase de ejemplaridad garcilasiana que es capaz de decidir la dirección de la poesía por incontables generaciones después de la muerte del poeta modelo. En 1957, Luis Cernuda escribía:

> Bécquer desempeña en nuestra poesía moderna un papel equivalente al de Garcilaso en nuestra poesía clásica: el de crear una nueva tradición que lega a sus descendientes.

En el presente capítulo no hemos hablado del movimiento neoclásico propiamente dicho, que yo fecharía sólo aproximadamente entre dos grandes obras de crítica: la *Poética* de Luzán, de 1737, y los *Ensayos li-*

terarios y críticos de Lista, de 1844 (el neoclasicismo y el romanticismo se entrecruzan cronológica y estilísticamente, como es bien sabido). Ni era mi intención hablar aquí del movimiento neoclásico, sino de la tendencia neoclásica. Sin embargo, estas reflexiones sí nos han preparado para formular una importantísima conclusión sobre el movimiento neoclásico. El hecho de que ciertas actitudes poéticas y preferencias estilísticas, que parecen acusarse en forma quizá más intensificada durante el setecientos, sean al mismo tiempo características de una larga y distinguida corriente que abarca desde Garcilaso hasta Bécquer, es la más elocuente demostración posible de la autenticidad española del neoclasicismo, de su solidaridad con la mejor tradición poética de España. Encuadrar el movimiento neoclásico en la tendencia neoclásica es el único modo de entender su realidad histórica. Y de todo esto no hay símbolo más feliz que el adjetivo *bueno* en la acepción especial que tiene en la historia de la poesía entre el siglo XVI y el XIX. Nunca antes ni después, por tanto tiempo, ha significado tanto una voz tan sencilla.

CAPÍTULO IV

«Palabras horrendas y vastas como elefantes»: neoclasicismo frente a barroquismo

Observa Juan de Jáuregui, en su *Discurso poético* de 1624, que los versos de muchos poetas de esa época se ven afectados por una enfermedad que «se me ofrece que podría llamarse elefancía, especie de lepra que cunde a todos los miembros de sus obras». El nombre del mal que padecen esos poetas a quienes hoy llamaríamos barrocos se le sugiere al agudo poeta-crítico seiscentista por una metáfora que utiliza, en las líneas inmediatamente anteriores, para describir la forma cínica en que tales versificadores abusan de la fe de los lectores ingenuos. Recordando las poco heroicas victorias que los ejércitos de la antigüedad conseguían a veces con el uso de los elefantes, Jáuregui mantiene que también

> debieran ser lloradas las victorias de algunos [poetas], cuando sólo con palabras horrendas y vastas como elefantes vencen al vulgo mísero espantadizo, le cautivan y rinden

Cuando el verso de tales poetas no es «furor de palabras» —dice el mismo Jáuregui— es, al menos, «ru-

91

mor de palabras»; y, en todo caso, predomina «el caos de esta poesía» —añade Cascales—; pues, según ya había dicho Quevedo, componerla es como «escribir nudos ciegos». Luzán no ve en ciertos grandiosos poemas ultrabarrocos sino un «estrépito sonoro de palabras», o ya «una sonora inutilidad». Recordando en otro momento las exageradas metáforas de la poesía culterana, Luzán se ríe de «aquel estilo de rosicleres». Para Gregorio Mayans y Siscar el estilo barroco es pura «obra de alquimia», y Antonio de Capmany no ve en la sintaxis y las figuras barrocas sino «frases afiligranadas» y «follajes que no tienen nombre, ni número». En el siglo XIX desaparecen estos chistes y sarcasmos sobre el estilo culterano-conceptista, por estar ya mucho menos inmediato su objeto; mas los críticos y poetas del siglo pasado compartieron todavía las opiniones de sus antecesores seiscentistas y setecentistas sobre la escuela de Góngora.

Por tanto, con las consideraciones siguientes, la contextualidad histórica del siglo XVIII con la tradición poética española se verá otra vez tan claramente como cuando consideramos la unión de los siglos XVI, XVII, XVIII y XIX en la añoranza de la época de Garcilaso. Con respecto al siglo XVII, limito muy deliberadamente mi enfoque, no con la intención de cuestionar los innegables encantos de los grandes poetas barrocos para el lector moderno, sino al contrario, con el propósito de caracterizar otra corriente estilística contraria, igualmente auténtica en esa época, la «garcilasiana» o «neoclásica», la cual, aunque no haya estado tan de moda desde los esfuerzos críticos de la generación de 1927 en pro de la escuela de Góngora, es sin embargo la única que conecta el siglo XVI con el XVII y con los dos siguientes. Es por esto, al mismo tiempo, la única que da cuerpo y continuidad a la tradición poética española que llega hasta nuestros días.

El hecho de que tanto en el siglo XVIII como en el anterior las censuras dirigidas contra el barroquismo se acompañan muchas veces por alusiones comparativas a la «buena» poesía del siglo XVI —ya las veremos— demuestra todavía en otra forma la contextualidad de la centuria decimoctava con el desenvolvimiento de las corrientes principales de la poesía culta española; y, al mismo tiempo, se ofrece así otra prueba de que la llamada reacción neoclásica dieciochesca contra el estilo barroco se produce por la continuación y la renovación de tendencias críticas ya existentes en España en siglos anteriores, y no por la influencia extranjera, por muy fecundo que haya resultado para España el nuevo cosmopolitismo de la literatura durante el setecientos. Mas volvamos ya a los textos de época para ver cómo los críticos de los mismos siglos que nos conciernen, conciben la «decadencia» de la lírica castellana.

Para que siempre destaquen en la forma más clara posible las características unitivas de la crítica clasicista en los tres siglos XVII, XVIII y XIX, consideraremos para cada cuestión importantes testimonios de esos siglos en orden cronológico. Procuraré ahora contestar a dos preguntas esenciales: 1) ¿Hacia cuándo fechaban los críticos de época la pérdida de la poesía? 2) Según esos mismos críticos, ¿cuáles eran las causas de la enfermedad estilística que Jáuregui llamaba «elefancía»?

I. *La pérdida de la poesía*

¿Hacia qué año fechan los críticos de los siglos XVII a XIX el principio de la decadencia? El primer testigo en aludir a un declinar de la calidad de la poesía parece lógico que sea uno de los primeros también en haber añorado aquel buen tiempo de Garcilaso: quiero decir, Miguel Sánchez de Lima. Ningún otro testimonio de los que voy a citar concuerda con el de Sánchez de Lima en cuanto a la fecha, pero no deja de ser curioso el siguiente pasaje de su *Arte poética en romance castellano,* de 1580, porque posteriormente más de un crítico ha creído encontrar la semilla del estilo barroco en el del Divino Herrera, quien hacía versos en esos mismos años. En fin, Sánchez de Lima recuerda que los necios no gozaban de respeto «en el tiempo que la Poesía reinaba», y luego sigue así: «Mas en este nuestro [1580] los necios y malos son los que valen, y los sabios y virtuosos se andan por los rincones.»

Bien mirado, el precedente pasaje de Sánchez de Lima no es más que una variante negativa de su lamento por el paso de la época de Garcilaso. En el segundo tercio del siglo XVII, sin embargo, se sugiere una fecha de la que ya no discreparán los españoles de los dos siglos siguientes. Lo que en realidad se fecha en el próximo documento —cosa significativa— no es el principio de la decadencia, sino esa monótona nivelación a la que se llega después de haberse iniciado ya la decadencia. En el «Diálogo de los poetas», en el libro *Heráclito y Demócrito,* de Antonio López de Vega, de 1641, se apunta que, debido a la repetida imitación de unos mismos recursos estilísticos, va produciéndose en la lírica cierto estancamiento:

> Por la senda de la lírica, que es la más común a los poetas de nuestro siglo, es tan copioso el número de los que caminan, que se atropellan unos a otros, y ésta debe de ser la causa porque casi todos se están en el mismo pasaje, y *ninguno o pocos pasan adelante.*

He aquí que se relaciona con una fecha concreta, 1641, una referencia al estado ya en ese momento decadente de la poesía.

Los críticos dieciochescos y decimonónicos con más perspectiva no fecharán ya un momento que represente el pleno estancamiento de la poética, sino que buscarán la fecha del principio de la decadencia, que la mayoría de las veces creerán descubrir hacia el final del reinado de Felipe III († 1621). Pero, en el fondo, Antonio López de Vega había estado diciendo lo mismo, porque lo que estaba en plena decadencia hacia 1640 tendría que haber empezado a decaer por lo menos unos veinte años antes. En la *Poética* de Luzán se lee:

> Conservóse el estilo de nuestros poetas por lo común muy puro y con hermosura y elegancia natural, hasta el reinado de Felipe III, en cuyo tiempo no sé por qué fatal desgracia empezó la poesía española a perder y decaer; y aquel sano vigor, y aquella grandeza suya, degeneró en una hinchazón enfermiza y un artificio afectado.

En 1754 el marqués de Valdeflores escribe:

> La poesía, que hasta entonces había seguido entre nosotros los pasos de las demás artes y ciencias, empezó con ellas a decaer a la entrada del siglo decimoséptimo.

En 1765, en el prólogo a su edición del verso de Garcilaso, José Nicolás de Azara se refiere al gran empuje creador de los españoles del Renacimiento en todos los órdenes de la vida humana, incluida la cultura literaria, y luego al largo y triste declinar de esa capacidad creativa, ya observado por López de Vega:

> Sostúvose hasta principios del reinado de Felipe III, pero [...] la fecundidad de los ánimos españoles fue [...] disminuyéndose en razón de lo que se apartaba de su origen, hasta que a últimos del siglo XVII quedó enteramente estéril. [...] Los progresos hacia la perfección fueron rápidos, y la decadencia lenta y perezosa como la del Imperio.

En el tomo II (1784) del *Origen, progresos y estado actual de toda la literatura,* del abate Juan Andrés, se añora el auge de la lírica castellana al mismo tiempo que se fecha el principio de su decadencia, y se explican los criterios para la selección de la fecha propuesta por la mayoría de los testigos dieciochescos. El abate opina que

> razón tiene España para quejarse del siglo XVII [...]. Boscán, León y Garcilaso, a principios del siglo precedente, hicieron cantar la poesía española con un estilo elegante y noble [...], y conservó esta excelencia por todo aquel siglo y hasta principios del otro, cuando se oyeron los últimos acentos de los Argensolas, de Villegas y de aquellos pocos poetas que habían sabido mantener incorrupta la dignidad de las musas españolas.

Queda claro que para los poetas y críticos del XVIII la época de la buena poesía no se extiende más allá de 1620. Aunque las *Rimas* de los Argensolas no se publicaron hasta 1634, Lupercio murió en 1613; y Bartolomé, quien vivió diecisiete años más, compuso la mayor parte de sus obras poéticas antes de 1620. Villegas no murió hasta 1669, pero ya había publicado sus *Eróticas* completas cincuenta años antes, en 1617-1618. Desaparecen también en esos dos primeros decenios del siglo XVII otros poetas que el setecientos miraría como seguidores de Garcilaso: por ejemplo, Francisco de Figueroa, que fallece hacia 1617, aunque sus versos se editan póstumamente en 1626.

En 1787, en el prólogo a su traducción del *Arte poética* de Boileau, Juan Bautista Madramany escribe adolorido por el contraste entre el siglo XVI tan próspero para la poesía y el XVII tan aciago para ella:

> La poesía [...] en nuestra España por todo el siglo XVI se vio adorada del pueblo, venerada de los sabios, cultivada por los primeros personajes y premiada de los príncipes;

> mas no sé por qué fatal desgracia, perdiendo desde el prin-
> cipio del siglo XVII su natural belleza y esplendor [...], per-
> dió su crédito y reputación, y quedó casi enteramente de-
> sacreditada hasta la mitad del siglo XVIII.

Arrieta, en uno de los suplementos sobre literatura española con que adiciona su versión de los *Principios filosóficos de la literatura* del abate Batteux, representa el principio del descenso con un ejemplo que todavía encuentra loable en algunos aspectos: Bernardo de Balbuena, quien dio todas sus obras a la estampa entre 1604 y 1624, y así ilustra una vez más la motivación de los críticos dieciochescos al señalar el final del reinado de Felipe III como el último límite de la «buena» poesía. Y en efecto: es significativo que reaparezca en el siguiente pasaje de Arrieta el adjetivo clave que acabo de usar:

> En medio de muchos trozos excelentes de que abundan
> [las églogas de Balbuena], se resienten mucho del gusto do-
> minante de su siglo en que empezaba ya a corromperse
> poco a poco la *buena* poesía del siglo XVI, que acababa de
> expirar.

El novelista y crítico romántico Ramón López Soler, en un artículo «Sobre la historia filosófica de la poesía española», en *El Europeo* (1823-1824), establece una oposición absoluta y neta entre el culteranismo y la buena poesía al fechar el ocaso de ésta, y luego describe el deplorable estado de la poesía española después de ser ya irreversible su declinar hacia la fatal demencia del ultrabarroco de fines del XVII y principios del XVIII:

> En vano se opusieron los mejores ingenios a este que lla-
> maban culteranismo, pues la nueva secta cada día adquiría
> más prosélitos hasta que por fin, a últimos del reinado de
> Felipe III, vino a quedar dueño del campo. Desde entonces

ningún paso dio la literatura española que dirigido no fuese a su lamentable decadencia. Desaparecieron el buen gusto, la erudición y la sana crítica [términos que parecen de un crítico del XVIII]; la poesía lírica, todo era retruécanos, equívocos, laberintos y juegos de palabras; la sublime, llena de obscuridad, de hinchazón y fuego prestado; la graciosa, abundante en chistes insulsos, en bufonadas y obscenidades.

En 1827, en las anotaciones al canto II de su *Poética,* Martínez de la Rosa conecta la fortuna de la lírica con la de la lengua:

> Por lo que [...] hicieron en ella Garcilaso y Herrera, puede conjeturarse lo que habría sido el habla castellana, si hubieran tenido aquellos célebres poetas muchos dignos imitadores. Mas el reinado floreciente del habla pasó casi con el del buen gusto, contando de vida poco más de un siglo.

Aunque aquí no se menciona directamente el final del reinado de Felipe III, queda muy claramente sugerida la misma fecha que ya habitualmente se fijaba para el principio del lento anochecer de la lírica castellana.

II. *Las causas de la «elefancía»*

¿A qué causas solían los críticos de los siglos XVII a XIX atribuir la decadencia de la poesía castellana? Por las respuestas que se daban a esta pregunta, veremos una vez más que existe un singular acuerdo entre los analistas del barroco en las tres centurias cuyos críticos habrán de ser consultados. Por lo general se puede decir que a lo largo del periodo indicado se imputa la decadencia poética del siglo XVII a tres causas relacionadas: ignorancia de la preceptiva auténtica, poco estudio de los buenos modelos poéticos, y un ambiente espiritual y literario sumamente restrictivo. En 1615, en *Corrección de vicios*, Alonso Jerónimo de Salas Barbadillo atribuye la proliferación de ese otro verso pedestre y prosaico, que será tan característico del seiscientos como el barroco, al manejo de un famoso manual de versificación que fue muy criticado desde su primera aparición en 1592:

> Aquella chusma vagante de infinitos bárbaros que quieren gozar el título y nombre de insignes ingenios indignamente, es tanta, que ya no hay sastre que esté sin el *Arte poética* de Rengifo; echan por aquellas aceras de consonantes y cogen truchas a bragas enjutas; sacan las coplas redondas y duras como bodoques y descalabran los oídos.

Con fecha 8 de agosto de 1625, el maestro Pedro González de Sepúlveda, escribe al licenciado Francisco Cascales, quien había publicado sus *Tablas poéticas* varios años antes (1617), y Sepúlveda observa que en esta obra se hallará seguramente el remedio de la gran ignorancia de la poética clásica que existía en España: «La poética en España corría días ha tan grave tormenta, que naufragara sin duda, al no socorrerla v.m. con sus *Tablas*.»

En el *Panegírico por la poesía,* de 1627, se afirma que España desperdicia su antiquísima y gloriosa tradición poética por no saber ya usar de la lima de Horacio para pulir los versos, por no mantenerse en el mundo moderno a la misma altura que las otras naciones europeas en la disciplina de la poética, y —cosa aún peor— por engreírse de su ignorancia e incomprensión de las reglas; juicio este último con el que, como veremos, coincide un muy conocido crítico decimonónico. En el *Panegírico* se lee:

> Ninguna provincia debiera estimar tanto la poesía como España, donde tantos ingenios ha habido y hay raros en ella, así en príncipes como en inferiores, y de España par-

ticularmente Andalucía, que gozó de metro y versos aun antes del diluvio [...], donde se conocerá cuán capaz es nuestro idioma de aventajarse en este arte a algunas naciones
que nos tienen por bárbaros, y sómoslo cierto, en el descuido que hay del pulimento con el arte, que como mina
de oro finísimo se ha descubierto en tantas partes, pero es
el daño que con precepto y medio nos arrojamos a hom-
brear con los Virgilios y Horacios de la poesía, y (mayor
mal) a censurarles lo que no entendemos.

El que un crítico español anime a sus compatriotas
a adelantar en la poética o cualquier otro estudio para
que no los llamen bárbaros los extranjeros, parece un
argumento ya muy dieciochesco, y recurrirán a él repetidamente Feijoo, Luzán, Cadalso, Iriarte y otros de
la centuria siguiente.

La causa principal de la pérdida de la buena poesía
en España, es, según Antonio López de Vega, en su
ya citado *Heráclito y Demócrito,* de 1641, «lo poco
que saben de la poesía los más de los que en este siglo la profesan». También está contenido en esta obra
el siguiente comentario:

> Tres son las sendas poéticas que hoy se siguen más co-
> múnmente. La dramática, la lírica y, aunque con menos se-
> cuaces, también la heroica. Casi todos los que van por ellas
> ignoran el camino.

Con la primera de sus observaciones López de Vega
toma nota del desconocimiento general de los textos
de la buena poesía que desgraciadamente caracteriza-
ba a su época; y no solamente se ignoraban los modelos, sino que tampoco se tenía noticia clara de la
poética, que es a lo que alude el autor del *Heráclito*
con la voz *camino.*

Ahora bien: no deja de ser muy significativo que
casi cien años después en una de las primeras páginas de la *Poética* de Luzán, se formulen precisamente

los mismos dos juicios. Luzán ve como la principal virtud de la época barroca «aquel furor y numen poético al cual se debe lo más feliz y sublime de la poesía». Sin embargo (y aquí es donde Luzán parece hacer eco a las observaciones apuntadas por López de Vega),

> lo que ha malogrado las esperanzas, justamente concebidas, de tan grandes ingenios, ha sido el descuido del estudio de las buenas letras y de las reglas de la poesía, y de la verdadera elocuencia, la cual, al principio del siglo pasado, se empezó a transformar en otra falsa, pueril y declamatoria.

Varias líneas más abajo, en la misma página, Luzán reitera su reflexión sobre el papel de la ignorancia de los buenos modelos en la decadencia de la poesía castellana, pues siempre considera los modelos como más importantes que las reglas, por estar la esencia de éstas contenida en aquéllos, y por ser los modelos a la vez ejemplos de la debida aplicación de las reglas.

> Degeneró de su primera belleza la poesía española —dice Luzán— y se perdió casi del todo la memoria de aquellos insignes poetas anteriores, que pudieron haber servido de norma y dechado a los modernos. Y éstos, con el vano, inútil aparato de agudezas y conceptos afectados, de metáforas extravagantes, de expresiones hinchadas y de términos cultos y nuevos, embelesaron el vulgo; y, aplaudidos de la ignorancia común, se usurparon la gloria debida a los *buenos* poetas.

He aquí, en las frases «aquellos insignes poetas anteriores» y «los *buenos* poetas», nuevas alusiones a los claros y resplandecientes modelos de aquel buen tiempo de Garcilaso.

Refiriéndose a las causas de la decadencia de la poesía castellana «a la entrada del siglo decimoséptimo», Luis José Velázquez escribe en 1754:

> Los poetas de ese tiempo, faltos de erudición y del co-
> nocimiento de las buenas letras, fiando demasiadamente en
> la agudeza de su ingenio y en la viveza de su fantasía, ol-
> vidaron y aun despreciaron las reglas del arte.

En 1778, al reimprimirse la versión española de la *Poética* de Aristóteles debida a Alonso Ordóñez, el editor del texto y prologuista, Casimiro Flórez Canseco, expresa la opinión de que

> ni el eficaz estímulo que debía ser para seguirlos la gloria
> que varios sabios [poetas] españoles del siglo XVI mere-
> cieron, ni el haber sacado a luz D. Alonso Ordóñez en el
> año de 1626 esta traducción literal [...], bastó para que los
> muchos ingenios señalados que en el siglo pasado florecie-
> ron en España y cultivaron con prodigiosa fecundidad la
> poesía [...], quisiesen sujetarse a las justas reglas de los an-
> tiguos, y anteponer la apreciable aprobación de la gente de
> buen juicio y discernimiento a los aplausos del vulgo.

Siempre se vuelve a la misma explicación de la decadencia poética: falta de estudio de los modelos, falta de estudio de las reglas.

En el último año del siglo XVIII, en el *Ensayo de un poema de la poesía,* de Félix Enciso, se suplica a la musa que no permita que

> ... el gusto depravado
> arroje en las regiones del olvido
> las reglas de la docta poesía;
> ultraje que otras veces ha sufrido esta divina ciencia,
> cuando con apariencia
> de erudición profunda y admirable,
> su belleza agradable
> lloraba bajo el yugo fuerte y duro
> de un lenguaje elevado, pero obscuro.

Enciso no fecha en forma específica su ejemplo histórico de decadencia de la poesía producida por la ignorancia de las reglas, mas resulta muy claro por su descripción del fenómeno que se refiere a la época barroca. Uno de los comentarios más rotundamente negativos sobre la deficiencia de los conocimientos preceptivos en el seiscientos, es el debido a Quintana. En el verso de *Selvas de todo el año* (detestable poema barroco sobre las estaciones del año, atribuido por muchos años a Gracián), Quintana ve «una prueba tan evidente como triste de que ya no quedaban principios ningunos de imitación ni vestigios de elocuencia» (Introducción a *Poesías selectas castellanas,* 1807).

Para Alberto Lista la pérdida de la poesía es causa a la vez que efecto de la decadencia intelectual, porque siendo la poesía la reina de las disciplinas humanísticas, su ocaso lleva inevitablemente al ocaso de las demás. Me refiero a un pasaje significativo del discurso de ingreso de Lista en la Real Academia de la Historia, ante cuya corporación se leyó en 1828.

> Ningún idioma ha llegado a su perfección —afirma el nuevo académico— sino cuando es perfecta su poesía. Como el poeta por las estrechas leyes que lo ligan, está más obligado que los demás escritores a conocer los recursos del lenguaje, por eso sus locuciones dan más riqueza y gallardía, y muchas de ellas vulgarizadas y pasando de boca en boca, llegan también a introducirse en la locución prosaica [...]; la musa de la poesía es la reina de las demás [...]. Parece imposible, pues, que donde se cultiva la poesía dejen de cultivarse las demás ramas del saber; y así vemos que mientras se conservaron en su mayor grado de belleza las musas españolas, tuvimos sabios que honraron a la nación en las demás especies de literatura, y que todo decayó desde el momento que empezó la escasez de *buenos* poetas.

El lector ya entiende el sentido especial del adjetivo *bueno,* que vuelve a aparecer en este pasaje. Resulta a la vez evidente que en estas líneas la voz *momento* señala los primeros decenios del siglo XVII.

Las restantes observaciones sobre las causas generales del ultrabarroquismo que vamos a considerar son todas de Antonio Alcalá Galiano. Es en el llamado manifiesto romántico de 1834, o sea prólogo que puso a *El moro expósito,* del duque de Rivas, donde, guiándose por conceptos en el fondo muy clásicos, Alcalá Galiano busca por primera vez las causas de «la corrupción que reinó» en España «a fines del siglo XVII y principios del XVIII». Una causa principal la localiza, no tanto en la ignorancia de los buenos modelos, como en la mala comprensión de éstos, variante de la explicación usual que parece a la verdad muy justificada, pues todos los que han examinado libros de los años aludidos por Galiano, recordarán la insufrible pedantería y afectada fraseología con que hasta los autores de las censuras eclesiásticas pervierten el sentido de los más claros poetas y prosistas de la antigüedad al traerlos con prodigalidad al banquete de sus ripiosas y rimbombantes reflexiones sobre cuestiones superfluas.

> Con decir que demanó el mal gusto, entonces dominante, de haberse abandonado el estudio de los buenos modelos —razona Galiano en su prólogo de 1834— se dice algo que dista mucho de ser cierto [...]; [pues] cuando más se desviaban nuestros ingenios de la sencillez *clásica* era cuando reconocían por modelos y citaban con más profusión a los mejores latinos.

En el mismo prólogo de 1834 y en su *Historia de la literatura española, francesa, inglesa e italiana en el siglo XVIII,* publicada once años más tarde, Alcalá Galiano, gran innovador en la historiografía, sienta las bases del método con que todavía se explica la génesis y corrupción del estilo barroco: quiero decir, la historia intelectual, que ha de buscar la relación entre la forma poética y la mentalidad característica de todas las artes y ciencias en esa época. Galiano llega a la misma conclusión a la que han llegado muchos historiadores de la literatura en nuestro siglo, esto es, que la enrarecida atmósfera intelectual de la Contrarreforma, más restricitva en la España de los Habsburgos que en cualquier otra nación, acaba por reflejarse en la superficialidad de contenido y exagerada sutileza estilística de muchas obras barrocas. El método de Galiano se halla bosquejado ya en el prólogo a *El moro expósito*:

> Quien leyese con atención crítica y filosófica la historia de España durante el siglo XVII y viere qué estudios se permitían entre nosotros, qué estímulos excitaban los ingenios y qué ideas andaban dominantes, encontrará allí la explicación de la barbarie en que vino a caer la nación española bajo los príncipes austríacos.

En la *Historia de la literatura en el siglo XVIII*, Galiano afirma que «la tranquilidad que se consigue con el establecimiento de una sola fe, de una sola doctrina, perjudica al desarrollo del entendimiento humano». Luego aplica este principio a la literatura del siglo XVII, y llega inmediatamente a una conclusión muy clara:

> ¿Qué había de suceder a una nación de imaginación viva? —pregunta Galiano con intención retórica. Lo que sucedió verdaderamente. No teniendo disputas religiosas, no teniendo disputas morales, no teniendo disputas políticas, no gozando de libertad el pensamiento, y no pudiendo por otra parte estar absolutamente ocioso, se dio a sutilizar las ideas comunes; de ahí nació el culteranismo.

En conexión con las ideas de Galiano, recordemos que también su contemporáneo Lista veía un enlace de causa y efecto entre la decadencia de la poesía y la decadencia de todas las disciplinas intelectuales.

En realidad, al hablar Alcalá Galiano de la sofocación intelectual de la España seiscentista, de la falta de pensamiento substancial que se acusaba en ella, no hace más que aplicar al país en conjunto una crítica que se les venía haciendo a los poetas barrocos individuales desde hacía dos siglos. Francisco Fernández de Córdoba, contemporáneo de Góngora, por ejemplo, había censurado en las *Soledades* las repeticiones, refiriéndose concretamente a «la de palabras, cuanto más de conceptos que suele argüir escaseza de ellos».

Jáuregui, en su *Discurso poético* de 1624, aludiendo a Góngora y otros poetas barrocos, a quienes sin embargo no nombra, dice que «no inquieren más en las obras, que un exterior fantástico, aunque carezca de alma y de cuerpo», añadiendo que con sus «galas relumbrantes y falsas» estos poetas «procuran señalarse sin fatigar más el pensamiento». Diez años más tarde, en las *Cartas filológicas* de Cascales, se vuelve a insistir en que la dificultad de Góngora no radica en la complejidad del contenido de sus obras, sino en la de su envoltura:

> La obscuridad del *Polifemo* no tiene excusa, pues no nace de recóndita doctrina, sino del ambagioso hipérbaton tan frecuente, y las metáforas tan continuas, que se descubren unas a otras, y aun a veces están unas sobre otras.

Especialmente por este último pasaje se empieza a ver que también tiene antecedentes remotos la otra censura que había de lanzar Alcalá Galiano contra los escritores barrocos, es decir, la de que compensaban su ya indicada falta de substancia intelectual por la práctica de sutilizar las ideas comunes con la sistemática complicación del estilo. Así, lo original de Galiano no fue en modo alguno el señalar los dos efectos de vacuidad intelectual y embrollo formal, sino el derivar éstos de causas religiosas y políticas inherentes a la Contrarreforma. Pues por lo que atañe únicamente a los dos efectos señalados, banalidad de contenido y retorsión de forma, los habían observado ya antes otros muchos críticos, no sólo del siglo XVII, sino también de los siglos XVIII y XIX. Veamos unos cuantos ejemplos más que representan estas dos últimas centurias, y luego relacionaremos en forma concreta los frecuentes reparos sobre la exigüidad intelectual y la retorsión formal, con la ya reseñada tesis de los críticos de época, de que la ignorancia de las reglas clásicas fue una de las causas principales del barroquismo.

En 1742, en su *Discurso apologético sobre la «Poética»*, Luzán escribe absolutamente convencido: «Pruébese que el estilo de D. Luis de Góngora no es vanamente hinchado y sin solidez de pensamientos.» Esta crítica individual la erige Luzán después en principio general:

> Los pensamientos ingeniosos y nobles no necesitan ser oscuros para que los aprecie el buen gusto, y los comunes y bajos nunca enfadan más que cuando disfrazados con extravagancias.

Para Mayans, en su *Retórica* de 1757, no cabe duda ninguna de que

> afectadamente malo se llama todo lo que traspasa las buenas maneras de decir, lo cual sucede siempre que el ingenio del que habla carece de juicio [...], como a cada paso se ve en las obras de Luis de Góngora.

Azara, en su prólogo al *Garcilaso* de 1765 es el que caracteriza más claramente a los poetas «cultos», de acuerdo con el sistema de crítica que vamos reconstruyendo aquí:

> Como en el fondo nada sabían —insiste—, se afanaban
> por parecer lo que no eran; y así hasta en las voces y en
> el modo de usarlas afectaban su mezquina erudición.

Algunos años más tarde, en el tomo II del *Blair* de
Munárriz, se estampa el siguiente comentario sobre
los poetas españoles del siglo XVII:

> Estos desgraciados ingenios [...], no contentos con decir
> con novedad cosas sabidas, se atormentan por decir lo que
> nadie pudiera entender sin hilarse los sesos.

Por las líneas de Larra que voy a citar ahora, se
verá una vez más esa importante deuda suya con el
pensamiento del siglo XVIII que ha sido estudiada recientemente por José Escobar, José Luis Varela y
otros. En su conocido artículo general sobre «Literatura», se refiere Larra a los defectos de contenido y
forma de las letras barrocas en la forma siguiente:
«Aun en la época de su apogeo, nuestra literatura [...]
había sido más brillante que sólida.» En otro lugar Fí-
garo amplía esta idea: «La oscura ampulosidad es una
montaña que abruma nuestra poesía [...]. No es la palabra lo sublime, séalo el pensamiento.» En 1850 Fermín de la Puente se ocupa del carácter de los poetas
andaluces en su discurso de recepción en la Real Academia Española; y en relación con Herrera y Góngora, en quienes rastrea las tendencias que llevarán a la
pérdida de la lengua y la buena poesía, apunta la tesis
siguiente: «Ningún signo de decadencia de éstas es
más positivo, ni más pronto a aparecer, que la falta
de ideas y la belleza en las formas.»
   En el fondo toda la polémica en torno a Góngora
y la poesía barroca puede reducirse a un desacuerdo
sobre la interpretación de dos reglas de la poética clásica, si hemos de atenernos a las advertencias de Jáuregui y otros críticos de época. Se trata ahora de pre-

cisar el sentido exacto de las ya citadas observaciones generales sobre la ignorancia de la preceptiva. Dejemos por tanto nuestras reflexiones sobre la tercera de las tantas veces aducidas causas del estilo «culto»: el restrictivo ambiente intelectual de la España de los últimos Austrias; y volvamos en forma más específica a la primera causa: el desconocimiento de las reglas. El primero de los dos preceptos a los que aludía hace un momento es el siguiente de Aristóteles sobre el estilo del poeta:

> La excelencia de la elocución consiste en que sea clara sin ser baja: la que consta de vocablos usuales es muy clara, pero baja [...]. Es noble, en cambio, y alejada de lo vulgar la que usa voces peregrinas [...]. Pero, si uno lo compone todo de este modo, habrá enigma o barbarismo [...]. Por consiguiente, hay que hacer, por decirlo así, una mezcla de estas cosas; pues la palabra extraña, la metáfora y el adorno, y las demás especies mencionadas evitarán la vulgaridad y bajeza, y el vocablo usual producirá la claridad [...]; la mesura es necesaria en todas las partes de la elocución [...] pero lo más importante con mucho es dominar la metáfora.

El otro precepto aludido tiene sus orígenes más remotos en Cicerón, Horacio y Quintiliano: es el precepto que ningún poeta logra realizar en su obra sino escalando con «osado paso / a la cumbre difícil de Helicona», según dice Garcilaso en su soneto XXIV, y que, por tanto, desde el Renacimiento viene designándose con el nombre, ya de «la dificultad vencida», ya de «la difícil facilidad». El primero de estos preceptos, con el que se busca un estilo que sea claro sin caer en lo bajo, lo interpretan Jáuregui y otros críticos de su misma orientación en la forma que pretendía Aristóteles, mientras que los poetas gongorinos no hacen caso sino de una sola parte de esa descripción del estilo perfecto. Así, en su *Discurso poético*, Jáuregui aserta que como los poetas barrocos

> han oído que la oración poética en estilo magnífico debe
> huir el camino llano [...], porfían en trasponer las pala-
> bras, torcer y marañar las frases, de tal manera, que ani-
> quilando toda gramática, derogando toda ley del idioma,
> atormentan con su dureza el más sufrido leyente y con ambi-
> güedad de oraciones, revolución de cláusulas y longitud de
> periodos, esconden la inteligencia al ingenio más pronto.

Al mismo tiempo, estas líneas revelan que la dificultad del proceso creativo viene ahora, en el ultrabarroquismo, a susbstituirse por la dificultad de la forma de la obra misma. Esto los «cultos» lo ven como
efecto del arte, mas sus adversarios —los seguidores
del ideal garcilasiano— lo ven como el nuevo y peli-
groso vicio de «la dificultad fácil», que para ellos se
contrapone en todo a la secular virtud de «la facilidad
difícil».

Es muy conocido el concepto barroco de la dificultad como recurso estilístico. Pero por la utilidad que
puedan tener como términos de comparación para las
distinciones que me interesa hacer aquí, quisiera re-
memorar sus rasgos esenciales. El primer elogio de la
dificultad u oscuridad que conozco en la época barroca se debe a Luis Alfonso de Carballo, en su *Cisne de
Apolo,* de 1602:

> Usan de alguna oscuridad en sus tratados los poetas [...]
> porque sus obras se lean con mayor atención y cuidado de
> entenderse, porque de ver las cosas muy claras se engen-
> dra cierto fastidio con que se viene a perder la atención
> [...]; con la dificultad crece el apetito de saber.

La declaración más sucinta y quizá más conocida es
la de Luis Carrillo y Sotomayor, en su *Libro de la erudición poética* (1611): «Efectos son del buen hablar di-
ficultar algo las cosas.» En cualquier caso, el autor del
más intrincado laberinto de retorcidos versos y flori-

pondiosas metáforas, nunca tiene que temer que su poema resulte incomprensible, pues la obscuridad no está en la obra, según Carrillo, sino en el lector ignorante:

> ¿No es bueno le ofenda [al ignorante] la escuridad del poeta, siendo su saber, o su entendimiento, el escuro? ¿Qué milagro si envuelto en la noche de su ignorancia misma, le parezcan tales las obras de los que leyere?

Recordemos también ciertas famosas palabras de Góngora, en una carta de 1613 ó 1614 sobre sus *Soledades,* pues sin ellas no quedaría completa ni aun esta breve recapitulación:

> Honra me ha causado hacerme escuro a los ignorantes, que ésa [es] la distinción de los hombres doctos, hablar de manera que a ellos les parezca griego, pues no se han de dar las piedras preciosas a animales de cerda.

Va pareciendo cada vez más convincente la teoría de los clasicistas sobre los orígenes de la dificultad poética culterano-conceptista, según se van alejando los poetas del antiguo y seguro ideal de la facilidad difícil, atraídos por una nueva originalidad fácil y engañosa. Los poetas barrocos se caracterizan por cierta ingenua fascinación por los vocablos campanudos, sesquipedales y, sobre todo, desconocidos. Su inspiración no se da en el nivel superior del tema, del sentido filosófico, o de la estructuración artística, sino en el nivel inferior del léxico y la sintaxis. Tienden a acomodar la idea a sus enigmáticos barbarismos y neologismos, en lugar de ajustar las voces al sentido, como lo había hecho un Garcilaso, un Boscán, un fray Luis, y todavía un Villegas y los Argensolas. Esto lo expone Jáuregui en la forma siguiente:

> Este ardor, o este arrobo tan alto, compete a los grandes poetas [...]. Mas [el poeta] debe [...] conseguir buen efeto

111

destos ardimientos: emplearlos digo principalmente en concetos sublimes y arcanos, no en lo inferior y vacío de las palabras, con que sólo se enfurecen algunos [...]. Todo esto es en las [empresas] de poesía tan difícil, que pide gran fuerza de ingenio, estudios copiosos, artificio y prudencia admirable [...]. Parece [empero] que todo les falta a nuestros modernos, y que quisieran con el aliento solo conseguir maravillas sin costa. Los efetos me lo aseguran. Porque no son sus éxtasis o raptos en busca de peregrinos concetos, remotos van sus ingenios de ese rumbo. Por locuciones solas se inquietan, y en tan leve designio se pierden.

Jáuregui traduce y adapta al mismo argumento un trozo de un diálogo de Luciano:

No preparas primero las sentencias para adornarlas después con las palabras, sino al contrario; porque en el punto que hallaste una palabra peregrina, o que engañado la juzgas por selecta, a esa palabra procuras después acomodar la sentencia, y te parece gran pérdida no insertarla en algún lugar, no obstante que no venga a propósito, y sea del todo impertinente a lo que se trata.

Antes de abordar en forma directa la cuestión de la oposición entre la facilidad difícil clásica y la dificultad fácil barroca, quisiera reproducir todavía otro testimonio seiscentista sobre la derrota del buen sentido a manos de las obscuras fuerzas de la palabrería. En las observaciones siguientes de Antonio López de Vega sobre el afectado estilo de los poetas de su época, se oye también como un eco del precepto de Aristóteles sobre la importancia de mezclar voces usuales al estilo poético:

Es su mayor atención el llenar los versos de vocablos de boato, ignorando cuántas veces consiste la elegancia en saber airosamente declinar las cumbres y caminar con paso moderado por lo llano [...]. De los pensamientos cuidan poco [...]. De propósito andan siempre buscando modos de hablar remotos del uso común.

La idea de que es fácil la composición poética para quienes se ocupan ante todo de amontonar palabras raras está implícita en todos los pasajes que acabo de citar; pues a la verdad lo más fácil del mundo es encajar en un poema una voz peregrina, «no obstante que no venga a propósito», aunque la impresión causada al lector será seguramente todo menos la de la facilidad. Durante la época barroca surgen y alternan con frecuencia las palabras *difícil* y *fácil* en los escritos de todas las bandas literarias; mas siempre en los pasajes que voy a citar ahora, de una manera u otra, directa o indirectamente, la aparición de tales conceptos significa la expresión de una profunda nostalgia por el desaparecido ideal de aquella poesía sobre la que laboraba el poeta con el mayor tesón para que al lector neófito le fuera tan sencillo entrar en la emoción del poema como lo había sido a su creador en el primer momento de la inspiración. Dificultad para el poeta, facilidad para el lector: facilidad difícil.

Hacia 1615, Lope de Vega responde a las cartas de Góngora sobre las *Soledades* y piensa en la facilidad difícil de los clásicos, aunque todavía no nombra este concepto:

> Dice Vm. que ha sido el inventor de que nuestra lengua llegue a la alteza de la latina a costa de su trabajo y habiendo de ser esto, obligación tiene Vm. de imitar y igualar a los príncipes de ella, Cicerón y Virgilio, por su camino cada cual; de ninguno de ellos se ha dicho jamás que es intrincado y confuso, y de las *Soledades* lo dicen casi todos en general.

En unas curiosas líneas de *La Filomena* (1621), ambos adjetivos, *difícil* y *fácil*, los tiene Lope en la mis-

113

ma punta de la lengua, mas tampoco esta vez los profiere:

> A muchos ha llevado la novedad a este género de poesía, y no se han engañado, pues en el estilo antiguo en su vida llegaron a ser poetas, y en el moderno lo son en el mismo día, porque con aquellas trasposiciones, cuatro preceptos y seis voces latinas o frasis enfáticas se hallan levantados adonde ellos mismos no se conocen, ni aun sé si se entienden.

En su *Discurso* de 1624, Jáuregui parece estar glosando este último pasaje de Lope:

> ¿Cuál cosa más fácil, que escribir versos con abierta licencia de usar todas lenguas, de remover y colocar las voces a todos lugares, disolver la gramática sin ley ni derecho, derramar como quiera las cláusulas, consentir lo ambiguo, lo oscuro y desbaratado, admitir todas frases, todas metáforas sin prescribir en ellas proporción o límite? Alta ignorancia descubre quien juzga estas libertades por hazañas, y les atribuye algún mérito. Es un estilo fácil, que cuantos le siguen, le consiguen. Y aunque su primer instituto fue sublimar los versos y engrandecerlos, eligiéronse medios tan libertados, que malogrado el intento, facilitan grandemente el estilo [es decir: su hechura, no su lectura], y fácilmente destruyen su altitud y grandeza.
>
> Este es el modo facílimo de escribir moderno —dice Jáuregui más adelante—, que le podemos imaginar como una anchurosa secta, introducida contra la religión poética y sus estrechas leyes. Sin duda lo es; y como entra relajando y derogando preceptos, ha sido en breve admitida de muchos, que las herejías deste género inficionan más fácilmente.

Un siglo más tarde Feijoo se sentirá atraído por el estilo de los escritores franceses del siglo XVII y repelido por el de los españoles de la misma centuria, no porque fuera un afrancesado —no volvamos a estas alturas a esa vieja patraña sobre el siglo XVIII—, sino porque la modalidad expresiva de los literatos franceses era sencilla y natural, en una palabra, típica de las obras clásicas de todos los tiempos y todos los países. En 1726, en el tomo I del *Teatro crítico universal,* el gran benedictino razona así:

> Si se hace el cotejo entre escritores modernos, no puedo negar que por lo común hacen ventaja los franceses a los españoles. En aquéllos se observa más naturalidad, en éstos más afectación. Aun en aquellos franceses que más sublimaron el estilo [...], se ve que el arte está amigablemente unido con la naturaleza. Resplandece en sus obras aquella gala nativa, única hermosura con que el estilo hechiza al entendimiento. Son sus escritos como jardines donde las flores espontáneamente nacen, no como lienzos donde estudiosamente se pintan. En los españoles picados de cultura, dio en reinar de algún tiempo a esta parte una afectación pueril de tropos retóricos, por la mayor parte vulgares, una multitud de epítetos sinónimos, una colocación violenta de voces pomposas que hacen el estilo no gloriosamente majestuoso, sí asquerosamente entumecido.

Estas líneas contienen una preciosa declaración de fe en el ideal clásico de la facilidad difícil. Es curiosa la descripción feijoniana del estilo «culto», tan semejante todavía a las de Jáuregui y sus contemporáneos. Mas lo esencial del pasaje del «Paralelo de las lenguas» que comentamos es el precioso símil del jardín, utilizado para captar la aparente espontaneidad del estilo de los escritores franceses. Pasearnos embelesados por los senderos de un jardín en plena flor, perdernos absortos en las maravillas del verso o prosa de expresión directa y natural, ningún esfuerzo nos cuesta, y se nos produce a la par la impresión de que eso tampoco habrá costado mucho más al jardinero o escritor: he aquí el aire de facilidad en el que insistían los clasicistas. Sin embargo, un momento de re-

flexión sobre los encantos de ese jardín nos recuerda
el largo cultivo del terreno que hace falta, su laborio-
sa preparación con abonos, la polinización y poda de
las plantas, todo ello repetido a intervalos regulares,
todo ello oneroso. Esfuerzos igualmente gravosos, re-
petidos, están detrás de esos escritos sencillos que son
«como jardines», y de esta forma sutil nos recuerda
Feijoo que es un trabajo tan arduo lograr la inespe-
rada delicia de un estilo original pero sencillo, como
la de un jardín. En fin, en el benedictino tenemos uno
de los más entusiastas partidarios de la clásica facilidad difícil, y a duras penas puede discrepar de tal postura cualquier auténtico artista del estilo; pues dos siglos después, por ejemplo, se oiría todavía como un
eco del símil feijoniano al observar Juan Ramón Jiménez, en su reseña de *La casa de la primavera,* de
Martínez Sierra, que «el hacer versos de belleza constante es como cultivar diariamente un jardín».

Luzán se ocupa de la dificultad gongorina en su
Poética de 1737; mas es particularmente iluminativo
para el presente tema lo que dice cinco años más tarde, en su *Discurso apologético* sobre su propia *Poética.* Al enfrentarse con la dificultad de Góngora, se
le ocurre por inevitable contraste la vieja pauta de la
facilidad difícil:

> En los poetas la naturalidad y facilidad aparente es para
> mí el más hermoso atractivo [...]; y no hallando en Gón-
> gora sino obscuridad y artificio del todo contrario, las ve-
> ces que le he leído me ha dejado muy cansado.

El adjetivo *aparente* en tal contexto equivale a todo
un tratado sobre el arduo y exigente proceso creativo
del poeta. En uno de los primeros apartados de la edición príncipe (1777) de su *Filosofía de la elocuencia,*
Capmany caracteriza al gusto literario del «siglo pasado», o sea, el XVII; y, en su opinión, ese gusto

se depravó hasta tal punto, que el escritor medía su mérito por la dificultad de explicarse, y el lector por la de entenderle [...]. La mayor parte de aquellos escritos abundan de todo, menos de juicio y razón. Se deshacían aquellos hombres por parecer ingenios a costa de la verdad y del sentimiento.

He aquí una nueva referencia a esa «dificultad fácil» característica de la obra barroca: una dificultad que no era la fatiga de la composición, sino el fárrago de la forma para el lector. La historia literaria al uso veía acaso en la voz *razón,* en las líneas del español dieciochesco Capmany, la influencia de la crítica francesa. Mas si volviéramos a examinar los trozos del *Discurso poético* de Jáuregui que cité anteriormente, veríamos que ya muchos decenios antes de la llegada de la dinastía borbónica ese contemporáneo de Góngora estaba principalmente turbado por la falta, en los versos de éste, de una «razón» estructurante y aclaradora.

En el ochocientos se extreman los juicios sobre la dificultad de ese Góngora a quien por lo menos desde 1634 se venía llamando «Príncipe de las Tinieblas». En el siglo XIX se llega a afirmar que se trata en Góngora de un plan premeditado, ya para reducir la lírica castellana a la pura irracionalidad, ya para corromperla del todo. En su artículo titulado sencillamente «D. Luis de Góngora», en el *Semanario Pintoresco Español* de 9 de abril de 1837, Mesonero Romanos afirma que en el gran poeta cordobés se da

> un hombre singular, en quien vemos reunirse el gusto más delicado y la más lozana imaginación, y luego renunciar, por sistema, a tan nobles cualidades, para fundar una secta literaria irracional y extravagante.

Si bien Mesonero ve tal extravagancia como «sistemática», Fermín de la Puente, en su ya citado *Dis-*

curso académico, va aún más lejos: a Góngora le llama «corruptor voluntario» del dialecto poético de Juan de Mena, Garcilaso y Herrera. En 1883, Ramón de Campoamor, en su *Poética,* resume en la forma más concisa posible el concepto clasicista del problema de la excesiva fascinación de los escritores barrocos por las palabras peregrinas, así como la enorme diferencia que hay entre el clasicismo y el barroquismo, con respecto a la dificultad y la facilidad: «El culteranismo es muy fácil: lo difícil es escribir con naturalidad.»

De estas palabras son casi un eco directo algunas de Azorín al comentar en 1935 el estilo poético de la época de los Argensolas y Góngora: «Es más fácil escribir en estilo afectado que en estilo sencillo» (en *Dicho y hecho,* 1957). En el primer aforismo de *Estética y ética estética,* Juan Ramón Jiménez diagnostica en el gongorismo los mismos dos males que Jáuregui y sus contemporáneos le tachaban: falta de ideas y pretenciosas repeticiones de voces huecas. Distingue Juan Ramón entre la «abundancia de ideas o temas poéticos» que caracteriza a Shakespeare y la mera «abundancia de palabras» que es habitual en Góngora, y luego dice: «La repetición de vocablos en poesía debe curarse en su raíz, es decir, no debe curarse la repetición, sino la raíz, con aguas de ideas.» Por fin, en un libro en el que so capa de la gracia se dicen muchas cosas muy sabias y profundas, quiero decir, la *Primera cuarentena* (1982), de Francisco Rico, se vienen a resumir en forma elocuente muchos de los factores del barroquismo que hemos considerado aquí: obscuridad, mala comprensión de los modelos clásicos y mala preparación en la preceptiva gramatical lo mismo que poética. Por los documentos que Rico cita, resulta que en cierta ocasión Góngora justificaba su propia obscuridad por la obscuridad que él veía en Ovidio, poeta de estilo clarísimo para quienes de hecho saben leer latín. De ello se deduce que Góngora dominaba mal la gramática y la estilística latinas, y se entiende así que sus intentos de imitar la sintaxis latina en español hayan llevado a efectos tan especiales. Escribe Rico:

> No se mueve [Góngora] en los horizontes de retórica y de poética que contemplan sus impugnadores: él se queda todavía en el dominio de la gramática [...]. La opinión [de Góngora] sobre el «estilo entrincado» de Ovidio, con su regusto y referencias escolares, inclina a preguntarse si una parte nada desdeñable de los recursos estilísticos más rotundamente gongorinos no será también, en ciertos aspectos, resabio de una forma poco madura de saber latín.

Es tal el horror que sienten los clasicistas ante la complicación culterano-conceptista, que la lectura de esos retorcidos versos llega a producirles un dolor no sólo psicológico, sino incluso físico:

> Este nuevo estilo de Vm. es tan contrario al gusto de todos —escribe Jáuregui dirigiéndose a Góngora—, que ningún esforzado ánimo ha podido leer cuatro columnas de versos sin estrujada angustia de corazón, como lo vemos experimentarse a muchas personas discretas y capaces de la *buena* poesía.

(Nótese una vez más aquí el adjetivo clave de los garcilasistas: *buena,* «buena poesía».) Sobre lo mismo Cascales escribe:

> El lector se corre de volver y revolver tantas veces sin adivinarlos, el oyente se duerme al son de los incomprensibles enigmas; y finalmente, yo me canso perdiendo el tiempo, joya preciosísima, en cosa menos útil que molesta.

No se trata de resentidas quejas personales; al contrario, estos comentarios tienen una motivación mucho más generosa que la molestia con un estilo difí-

cil. Es que ya con Jáuregui empiezan los críticos de
más clara visión histórico-lingüística a temer por la
salud y conservación de la lengua nacional al verla so-
metida a una influencia tan deformadora, que ni si-
quiera era posible descartar la peligrosa posibilidad de
que se privase de un desarrollo natural en el futuro.
En el *Discurso poético* se halla este sentido pasaje:

> Aun tuviera el desorden alivio si en este empleo de pa-
> labras interesase el lenguaje algún nuevo lustre, mas para
> total desconsuelo lo que primero padece es nuestra lengua.
> Es cierto que su fértil campo aún puede hoy cultivarse, y
> producir nuevas flores, nuevas dicciones y términos hasta
> ahora no vistos. Mas los poetas, de que se habla, no culti-
> van con artificio nuestra lengua; desgarran con fiereza el
> terreno, haciendo brotar malas hierbas, espinosas y bron-
> cas, no flores tiernas y suaves.

A continuación, Jáuregui evoca a Garcilaso; y tampoco sorprende que el editor de Garcilaso, José Nicolás de Azara, sienta una honda preocupación patrió-
tica por la suerte de la lengua castellana al contem-
plar la caída de la poesía entre el tiempo del Príncipe
de los Poetas Castellanos y el de los vates cultiparlan-
tes de la centuria siguiente. Es imposible leer el comentario de Azara sin recordar el frecuente uso de
bueno como sinónimo de *por excelencia* en la crítica
clásica, mas en el siguiente texto su sentido se acerca
en realidad al de *patriótico:*

> La propiedad y elegancia de nuestra lengua ha padecido
> tanto en las infelices manos de ruines escritores, y ha lle-
> gado por culpa de ellos a tal decadencia, que es preciso cau-
> se lástima a todo *bueno* español.

En 1879, Clemente Cortejón concluia todavía: «Fue
tal la oscuridad de dichas poesías, que los cultera-
nos pusieron a prueba con sus innovaciones la inte-

gridad del castellano lenguaje» (en *Compendio de poé-tica*).

En los dos últimos capítulos hemos reconstruido con extensa documentación dos actitudes prolongadas que son fundamentales para el neoclasicismo español, una positiva, y otra negativa: 1) el perenne ideal garcilasista; 2) la perdurable postura antigongorina de los poetas clasicistas. Hemos podido rastrear las manifestaciones de la primera de estas actitudes a través de cuatro siglos, y las de la segunda a través de tres. En cada rastreo se ha demostrado repetidamente la plena contextualidad ideológica del movimiento poético dieciochesco con importantes corrientes de la poética española tanto anteriores como posteriores al setecientos. Esto, junto con el hecho de que desde el principio ambas actitudes —la positiva y la negativa— se dan unidas a una fuerte voluntad de renovación, nos ha permitido a la vez descubrir las fronteras más remotas del neoclasicismo español.

COEDICIONES CATEDRA
FUNDACION JUAN MARCH

TITULOS PUBLICADOS

21